A FARRA DOS GUARDANAPOS

SÍLVIO BARSETTI

A FARRA DOS GUARDANAPOS

O último baile da Era Cabral.
A história que nunca foi contada

2ª edição

Copyright @ 2018 Sílvio Barsetti

Direção editorial	**Bruno Thys**
	Luiz André Alzer
Capa e Arte	**André Hippertt**
Diagramação	**Celso Possas Junior**
Revisão	**Leonardo Bruno**
Pesquisador-assistente	**Roberto L. Airão Barboza**

Reproduções de fotos extraídas do Núcleo de Combate à Corrupção / Força-Tarefa Lava-Jato, da Procuradoria da República no Estado do Rio de Janeiro (Ministério Público Federal).

Dados Internacionais de Catalogação na Publicação (CIP)
(eDOC BRASIL, Belo Horizonte/MG)

B282f
    Barsetti, Silvio.
        A farra dos guardanapos: o último baile da era Cabral: a história que nunca foi contada / Sílvio Barsetti. – 2. ed - Rio de Janeiro (RJ): Máquina de Livros, 2018.
        176 p. : 14 x 21 cm

        Bibliografia: p. 173.

        ISBN 978-85-54349-05-9

        1. Cabral Filho, Sérgio, 1963-. 2. Corrupção na política – Brasil. 3. Jornalismo - Investigação criminal. I. Título.
                                                            CDD 364.13230981

Grafia atualizada segundo o Acordo Ortográfico da Língua Portuguesa de 1990, em vigor no Brasil desde 2009.

2ª edição, 2018

Todos os direitos reservados à
Editora Máquina de Livros LTDA
Rua Firmino Portugal 55, Barra da Tijuca
Rio de Janeiro – CEP: 22.793-280
www.maquinadelivros.com.br
contato@maquinadelivros.com.br

Nenhuma parte dessa obra pode ser reproduzida, em qualquer meio físico ou eletrônico, sem a autorização da editora.

*A Roberto Lucio, autor de tantos
palpites e sugestões – fundamentais
na elaboração desta Farra.*

APRESENTAÇÃO

Nos seus mais de 300 artigos, o Código Penal Brasileiro não prevê punição para quem subverte o uso do guardanapo. Ignorar sua milenar função higiênica e transformá-lo em adorno de cocurutos para animar trenzinho etílico foi, ao mesmo tempo, a mais inocente e a mais perversa ideia da corte de Cabral.

A mais inocente porque de algumas daquelas cabeças, a se destacar a do ex-secretário de saúde Sérgio Côrtes, saíram fórmulas, métodos e receituários de roubalheira que produziram mortes em massa. O que é uma farra de guardanapos perto de verbas desviadas da saúde?

A mais perversa porque simbolizou o deboche, a devassidão e a libertinagem de aduladores palacianos cuja única missão na vida, naquele momento, parecia ser a de farejar níqueis desprotegidos.

A vida na corte de Cabral não parecia uma festa. Era uma festa. Tudo dava certo para um governador que tinha os pés na lama, as mãos no cofre e a cabeça em Paris.

O ciclo de decadência do estado do Rio dava a impressão de ter chegado ao fim. Economistas e formadores de opinião produziram um livro e cunharam a expressão "A hora da virada" para batizar o novo e virtuoso ambiente de negócios criado na Era Cabral.

Uma sensação de segurança que há muitas décadas não era experimentada; o alinhamento dos três níveis de governo, promovendo um inédito tsunami de investimentos; a perspectiva da chegada de grandes eventos; e o preço do petróleo nas alturas provocavam o efeito equivalente ao de uma euforia química. Que nem o mais caro e refinado champanhe francês seria capaz de produzir.

Estavam lançadas as bases para a queda de dimensões bíblicas da corte: orgulho, avareza, luxúria, gula... É possível encontrar qualquer um dos sete pecados capitais na memorável festa que Cabral "se ofereceu" na capital francesa. Afinal, não bastava roubar. Era preciso ostentar.

A Farra dos Guardanapos está para a história da roubalheira fluminense como o baile da Ilha Fiscal está para a da monarquia brasileira. São os últimos momentos de embriaguez de cortesãos que não percebem que estava chegando o momento em que as letras sobem carregando o anúncio cabal: "Fim".

Mas, se temos uma Amazônia de informações sobre o baile da Ilha Fiscal, nos faltam detalhes sobre a Farra dos Guardanapos. Aliás, faltavam. Neste livro, o jornalista Sílvio Barsetti põe fim a esta lacuna. Mesclando o rigor jornalístico da apuração de dados com o dom criativo de um cronista, Barsetti nos coloca dentro da festa que ajudamos a pagar, mas para a qual não fomos convidados a participar. Tintim.

Octavio Guedes

Jornalista e comentarista da Globonews, foi diretor de redação do jornal "Extra", do Rio de Janeiro, durante os dois mandatos do ex-governador Sérgio Cabral

A ERA CABRAL

Implantada a primeira UPP, no Morro Dona Marta, em Botafogo

2006 — Sérgio Cabral é eleito governador com 68% dos votos

2007 — Inaugurada a primeira UPA do Estado, na Maré

2008 — Em 14 de setembro, Cabral recebe a Legião de Honra na França e comemora na festa que ficou conhecida como **A Farra dos Guardanapos**.

2009 — Em outubro o Rio é escolhido sede da Olimpíada

2010 — Cabral é reeleito governador, no primeiro turno, com 66% dos votos

O MAPA DA FARRA

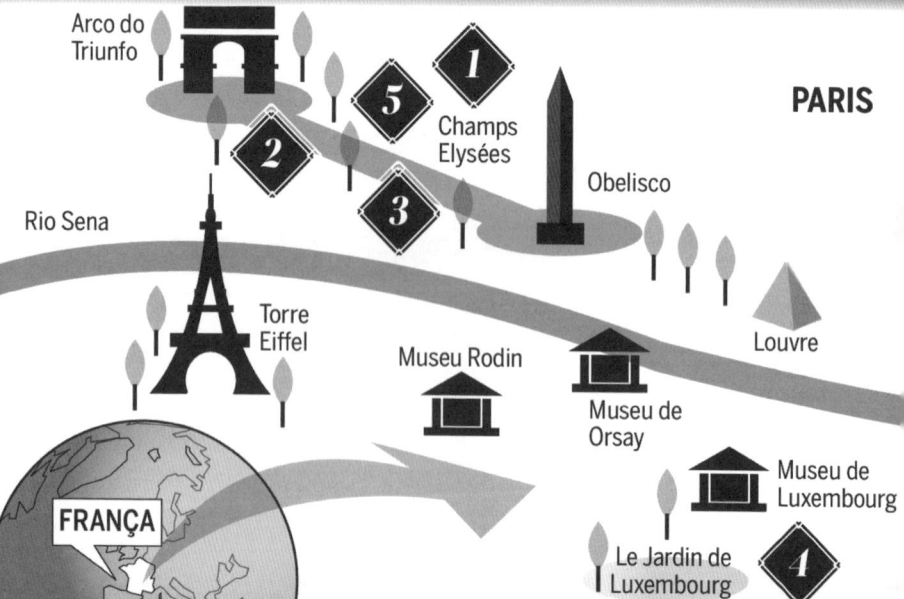

Linha do tempo

2012 — O ex-governador Anthony Garotinho publica fotos da Farra dos Guardanapos

2014 — Cabral renuncia em abril e Luiz Fernando Pezão é eleito em outubro

2011 — [cai] o helicóptero [da] Bahia, na festa [de] aniversário de [Fer]nando Cavendish: [sete] pessoas morrem

2013 — O ajudante de pedreiro Amarildo de Souza desaparece na Rocinha e o modelo das UPPs passa a ser contestado

2016 — Cabral é preso no Rio

 HOTEL LE BRISTOL: o endereço de Sérgio Cabral em Paris

 HOTEL PRINCE DE GALLES: onde aconteceram as reuniões do comitê Rio 2016, nos dias 14 e 15 de setembro

 CÂMARA DE COMÉRCIO BRASIL-FRANÇA: local da palestra de Cabral no dia 14 e onde foi lançado o "Guia Michelin Rio" no dia 15

 PALÁCIO DE LUXEMBURGO: onde foi feita a entrega da Legião de Honra a Cabral na tarde do dia 14

 MANSÃO DA CORTESÃ THERESA LACHMANN: cenário do banquete da Farra dos Guardanapos na noite do dia 14

Capítulo 1
UM BAILE HISTÓRICO

Está em jogo uma prova definitiva de prestígio. Ascender socialmente e permanecer entre os eleitos, eis uma necessidade imperiosa. Ali, porém, todos vivem numa sociedade em que tradições e nomes são rapidamente surpreendidos pelas circunstâncias. Portanto, ser excluído da lista de convidados soa como uma sentença derradeira. Não cabe recurso a quem se vê à margem do poder.

Para os distraídos, uma festa representa apenas um momento de prazer fugidio e passageiro. Mas esse evento é diferente. Poucos atentam para os riscos possíveis da escolha de um dos lados de uma estrutura política à beira da ruptura. A brisa faz acolhedora uma noite repleta de surpresas.

Como alegorias num desfile de luxo, os convivas chegam pouco a pouco. Homens circulam com belas mulheres, que por sua vez ostentam coleções de joias raras, refletindo numa luminosidade incomum. Talheres de prata e guardanapos de tecido fino ornamentam as mesas, e o aroma de pratos sofisticados anuncia um sábado inesquecível.

Os acordes dos instrumentos ainda são suaves. Dezenas de copeiros despontam de todos os lados com o malabarismo de suas bandejas, que flutuam entre ombros e braços esticados. O tempo é bom, e algumas nuvens sinalizam chuva só para o dia seguinte. Mas há uma inquietação no ar.

Já passa das 20 horas e o personagem mais importante da noite não chegou. Entre os chefes do cerimonial a preocupação é evidente. Nada pode dar errado. O entra e sai no salão nobre já é intenso e todos querem apertar as mãos do homem, do político, do governante que representa o máximo em poder e prestígio, figura reverenciada até mesmo por adversários. Esse ar solene de formalidade, no entanto, vai se esvaindo à medida em que a carta dos melhores vinhos da Europa é distribuída aos cavalheiros absortos em seus fardões bordados.

Os maîtres se indagam sobre a demora do anfitrião. Afinal, o banquete já está pronto desde cedo, com iguarias que combinam aves exóticas, lagostas e cascatas de camarão, resultado de um trabalho exaustivo e minucioso de três dias consecutivos, a cargo de 48 cozinheiros.

A festa se prolonga com rastros comprometedores. Peças íntimas do vestuário feminino, encontradas em locais ermos, sugerem excessos associados, em parte, à fartura de bebidas servidas durante toda a noite. Mas Dom Pedro II não tem nada com isso. Ao dar o ar da graça lá pelas 21 horas, saudado com o toque de uma corneta e acompanhado da imperatriz Teresa Cristina, o monarca logo se recolhe a uma área reservada. Sem imaginar que aquele seria o último baile do Império, em 9 de novembro de 1889, ele conta aos mais próximos que se atrasou em razão da quantidade de carruagens que se dirigiam ao Cais Pharoux, de onde os convidados seguiam de barco ou em embarcações particulares para a Ilha Fiscal.

Mas nem todos parecem desfrutar do clima de celebração. Distante dali, a esposa do militar Benjamin Constant está inquieta: não se conforma por ter sido deixada fora da festa. Prageja, reclama, amargura-se. Naquele momento, seu marido participa de uma reunião conspiratória que resultaria, seis dias depois, na queda dos monarquistas. Benjamin só toma conhecimento da indignação dela ao voltar para casa, no fim da noite. Diante de alguns apelos condoídos, o militar cede, a contragosto, e a leva de barco para margear a ilha e ver um pouco daquela opulência toda.

Batizada muitos anos antes de Ilha dos Ratos, o local acolhe dezenas de palmeiras e coqueiros, iluminados com centenas de velas e lanternas venezianas para a recepção de três mil convidados. O motivo da festa gera controvérsias ainda hoje. Oficialmente, seria uma homenagem aos militares chilenos do cruzador Cochrane, que estavam no Brasil havia duas semanas, embora exista a versão de que tanta ostentação se devia à estratégia do chefe do Conselho de Ministros, Visconde de Ouro Preto, de mostrar força e unidade aos que se opunham ao Segundo Reinado.

Apesar de não ter relação direta com o advento da República, o baile da Ilha Fiscal simbolizou o fim de um período marcante da história do país. O epílogo desse enredo se resume assim: Ouro Preto foi preso em 15 de novembro e, dois dias depois, Dom Pedro II partiu com a família imperial para o exílio na Europa – ele morreria em 1891, em Paris.

Com um salto de mais de um século, outra recepção de gala mistura figuras ilustres. O evento, em setembro de 2009, tem como cenário um dos endereços mais nobres do planeta: uma imponente mansão na Avenida Champs-Elysées. Agora, porém, o momento marca simbolicamente o ápice de um grupo político que se consolidou no Rio de Janeiro e seduz a elite francesa.

Durante cinco dias que se tornariam folclóricos, o Rio firmou uma espécie de pequena monarquia em Paris, com direito a casal real, conselheiros, súditos e bobos da corte. Um reino que conheceria seu apogeu na misteriosa noite de 14 de setembro. Uma noite de consequências trágicas para boa parte dos envolvidos e que entrou para a história como A Farra dos Guardanapos.

Capítulo 2
DO SUBÚRBIO DO RIO A PARIS

Ao desembarcar no Aeroporto Charles de Gaulle, na Cidade Luz, na manhã de 11 de setembro de 2009, o governador Sérgio Cabral é a personificação da alegria. No dia 2 daquele mês, o site da revista norte-americana "Forbes", uma das mais respeitadas publicações do mundo dos negócios, apontava a capital do estado do Rio de Janeiro como "a cidade mais feliz do mundo", em pesquisa realizada com cerca de dez mil pessoas em mais de 20 países.

Seu sorriso reflete o assédio positivo da imprensa, ainda fortemente influenciada pelo encontro entre os presidentes Luiz Inácio Lula da Silva e Nicolas Sarkozy, em 7 de setembro, em Brasília, ocasião em que o governo brasileiro anunciou um acordo para a compra de equipamentos militares da empresa francesa Dassault: submarinos, helicópteros e caças. O investimento total era estimado em mais de R$ 35 bilhões, o suficiente para que a mídia francesa qualificasse o Brasil como uma democracia exemplar e líder regional, detentor de um mercado interno extremamente promissor aos investidores internacionais – mais tarde, já no primeiro mandato de Dilma Rousseff, o negócio acabaria revisto e o governo trocaria a Dassault pela sueca Gripen.

Em 2009, o Brasil reunia 405 filiais de empresas francesas, a maioria de pequeno e médio portes. A possível participação do grupo Alstom em um projeto de um trem-bala que ligaria o Rio a São Paulo, com investimentos de R$ 34 bilhões, tornava os brasileiros cada vez mais cobiçados para parcerias comerciais com os franceses.

A alegria de Cabral tem, sobretudo, um motivo muito especial: a maior homenagem até então de sua trajetória política, programada para a segunda-feira, 14 de setembro, o levaria a fazer parte de uma seleta galeria de grandes personalidades, incluindo o próprio Dom Pedro II. Como ele, Cabral também seria agraciado com a comenda da Légion d'Honneur (Ordem Nacional da Legião de Honra), instituída em 20 de maio de 1802 por Napoleão Bonaparte como recompensa pelos méritos de civis e militares à França.

Reconhecido e cumprimentado por muita gente no aeroporto, ele expressa no olhar e nos gestos uma felicidade comparável a um outro momento seu de raro contentamento: o primeiro desfile em uma escola de samba, aos 10 anos, fato que marcaria para sempre a vida do menino de origem simples, nascido no subúrbio carioca do Engenho Novo.

* * *

A antiga passarela do samba, em 4 de março de 1973, é um dos locais mais democráticos do mundo, onde pobres foliões são exaltados como heróis. Após o jantar, com a ajuda da mãe, a professora e museóloga Magaly Cabral, Serginho dá os últimos retoques na fantasia e espera pelo pai, o jornalista Sérgio Cabral. Os três seguiriam para a Avenida Presidente Vargas, no Centro. Ali, em arquibancadas desmontáveis ou em pé, uma multidão se aglomera para ver de perto as escolas do grupo de elite do carnaval carioca.

Serginho mantém a tradição da família e defende a Em Cima da Hora, escola do bairro de Cavalcanti, no subúrbio da cidade, onde a avó paterna criou os filhos. Deslumbra-se com o desfile. Encanta-se com a ala das baianas, com os ritmistas e com os passistas. Tenta imitá-los, mas os movimentos são desconexos. Percebe ao seu redor o mundo de magia que alça componentes a posições de destaque na escola. A Em Cima da Hora traz um enredo sobre literatura de cordel, fala de pavão misterioso, de boi mandingueiro.

O menino considera-se um vitorioso por superar a timidez inicial diante de tanta gente. Nada lhe ofusca o prazer de cantar com desembaraço e emoção. Uma experiência sem paralelo até então. Seus olhos se perdem num conjunto de luzes e na reação espontânea do público. E ele se enche de orgulho: "Eu estou na Avenida!".

* * *

Realidade e sonho se confundem, pois agora, homem feito, ele deixa o aeroporto e percorre uma das 12 principais avenidas parisienses. Já não veste uma fantasia: seu terno da grife Ermenegildo Zegna é feito sob medida para que ostente imagem condizente com sua posição. No entanto, por trás do traje que pode chegar a custar inacreditáveis R$ 150 mil, ele permanece um homem simples, acessível e cordial, mesmo com os mais humildes.

A forma direta e amistosa de se dirigir a quem quer que seja, ninguém duvida, é herdada do pai. Sempre muito apegado a ele, nos anos 1970 Serginho se torna grande parceiro de Cabral em aventuras lúdicas que misturam música e futebol. Desde criança, roda com seu herói de olheiras profundas por todos os cantos do Rio, em reuniões noturnas para a produção de discos. É figurinha assídua na redação de "O Pasquim", semanário de humor e cultura que fez história nos anos da ditadura militar e do qual o pai é fundador. Tem também o hábito de ver o Vasco jogar no Maracanã, mais uma paixão a uni-los.

No final de uma noite de quinta-feira, 17 de setembro de 1970, após uma vitória vascaína sobre o Botafogo, por 2 a 1, Sérgio Cabral pai olha para o relógio, mexe nos óculos e pergunta ao filho, então com 7 anos, se toparia uma esticada rápida dali do estádio até o Antonio's, bar que reúne a melhor safra da intelectualidade carioca, no Leblon. O menino pisca os olhos e se empolga com o convite, como se tivesse feito um dos gols de seu time. Nada mais natural. Ambos estão eufóricos com o título carioca, alcançado com aquela vitória. O pai até o dispensa de ir à escola no dia seguinte, à revelia de dona Magaly.

Em depoimento para o documentário "Sérgio, a cara do Rio", sobre o jornalista da velha guarda – dirigido por Fernando Barbosa Lima e lançado em 2008 –, Sérgio Cabral Filho deu uma declaração bem-humorada (e profética!) sobre sua precoce presença em mesas de bar com Vinicius de Moraes, Tom Jobim, Chico Buarque, Di Cavalcanti, Paulo Mendes Campos, Rubem Braga, Otto Lara Resende e uma penca de jornalistas, sambistas e colunistas: "Eu, com 7 anos de idade, ali, naquela *farra* de intelectuais".

Sua trajetória, porém, não pode ser resumida a uma sequência infinita de festas e boemia. Na juventude, depois de cursar o ensino básico em escolas públicas, Serginho se mostra atuante no movimento estudantil do Colégio Mallet Soares, em Copacabana, bairro onde morava, e pagaria um preço alto pela astúcia, traço já marcante em sua personalidade e liderança. Ao vê-lo transgredir regras expressas da instituição, a direção lhe aplica a pena máxima. Serginho é expulso da escola por levantar calorosas discussões de temas políticos entre as atividades culturais dos jovens secundaristas. A punição não envergonha a família. Ao contrário. Seus pais se comovem com a solidariedade dos colegas, que fazem dois dias de greve em protesto contra a expulsão. Não foi o suficiente para que o colégio voltasse atrás, mas o episódio leva a uma constatação das pessoas com quem convive: é inegável sua força para cativar e convencer.

Serginho passa a vislumbrar novos horizontes. Seria preciso seguir em frente e aproveitar o dom que a vida lhe tinha dado. Ambicioso, começa a acreditar cada vez mais em sua capacidade de persuasão e está decidido a conquistar o máximo de poder. Nem professores, diretores ou qualquer outra autoridade, ninguém mais o calaria. Ele delira e se vê nos mais altos cargos públicos do país. É jovem e sonha alcançar o impossível.

* * *

Sonho e realidade se misturam e agora, aos 46 anos, Sérgio Cabral vive em uma ascensão contínua, com a trajetória política consolidada, costurada em alianças com líderes de partidos rivais. Ainda mantém o ar juvenil e segue sempre risonho e extremamente simpático ao lado de sua esposa, Adriana Ancelmo. Sua vida social é intensa. Muito glamour, recepções de gala. Difícil imaginar algo que possa detê-lo. Conhece Sophia Loren na casa do presidente da França, Nicolas Sarkozy, agenda encontro com George Bush pai em Houston, é convidado por Cristina Kirchner para eventos na Argentina, passeia de bicicleta em Paris com o prefeito Bertrand Delanoë.

A revista inglesa "The Economist" louva seu governo. Dos Estados Unidos, a "Newsweek" faz ampla reportagem sobre a ressurreição do Rio. O jornal francês "Le Monde" exalta sua política em favor dos menos favorecidos. Mesmo com a aprovação de mais de 80% dos brasileiros, o presidente Lula não se descola dele: um pega carona no prestígio do outro. Nem adianta Adriana Ancelmo beliscá-lo. Seu nome começa a figurar nas pesquisas de intenção de voto para a sucessão de Lula no ano seguinte, em 2010.

É nesse estado de excitação que o casal passa de carro pela Praça de La Concorde, próximo à Igreja de La Madeleine, para chegar ao famoso Hotel Le Bristol. Na recepção, computadores exibem imagens da monumental biblioteca nacional francesa e da pirâmide de vidro do Louvre, obras do socialista François Mitterrand. Também são apresentadas cenas da fachada do Museu Quai Branly, legado de Jacques Chirac. Cartões-postais de projetos faraônicos de dois dos principais políticos franceses.

Cabral não se elegeu prometendo obras monumentais. Entretanto, se pudesse permanecer no governo até 2014, para a Copa do Mundo, e tivesse poder de influenciar os preparativos para os Jogos Olímpicos de 2016, deixaria seu nome grifado pelo mundo todo. Diante de planos tão ambiciosos, é essencial se valer de toda a artimanha para reforçar sua estratégia e superar os desafios, como em um intrincado jogo de xadrez. Sabe que tem que mover o bispo e o cavalo para se aproximar do xeque-mate. E nos próximos dias estará ao lado de duas dessas peças-chaves de seu tabuleiro: Fernando Cavendish e Carlos Arthur Nuzman.

Capítulo 3
MEDALHA NO PEITO

O café da manhã no Le Bristol tem até uma cascata com suco de laranja que sobe por um aqueduto e sai da boca de um tigre. Não é isso que distingue o desjejum de Sérgio Cabral em 14 de setembro de 2009. Ele está relaxado no jardim interno do hotel, paparicado por um garçom cuja missão ali é reabastecer a xícara de chá de três ou quatro hóspedes silenciosos.

Em seu quarto dia na capital francesa, com os óculos na pontinha do nariz, Cabral lê alguns dos principais jornais da Europa. Nada a seu respeito – ele tem consciência disso. Mas o Brasil marca presença de algum modo entre fatos mais recentes. O "Le Monde" destaca que o Produto Interno Bruto do Brasil cresceu 1,9% e o país está oficialmente fora da recessão. O governador se detém na informação para checar se a abordagem está correta. Em seguida, dá um sorriso ao ler uma reportagem do inglês "The Daily Telegraph", na qual é citada uma indiscrição de Nicolas Sarkozy: o presidente francês teria sido flagrado durante a cúpula do G-8 com os olhos vidrados no bumbum saliente de uma garota brasileira.

Uma leve ansiedade enlaça Cabral naquela manhã parisiense: ele consulta o relógio a todo instante. Sua agenda está repleta de eventos e dois deles lhe serão inesquecíveis: a entrega da medalha da Legião de Honra, na sede do Senado, e o banquete noturno na Champs-Elysées. Mas ainda há alguns minutos para desfrutar do conforto do Le Bristol.

O hotel, um dos mais luxuosos do mundo, serviu de residência à corte francesa do século XVIII e tornou-se lendário ao longo do tempo também por sua exclusivíssima clientela: Chanel, Salvador Dalí, Picasso e Mondrian se hospedaram em seus quartos, tão sofisticados quanto espaçosos. Cenário do filme de Woody Allen "Meia-noite em Paris", de 2011, e considerado uma obra-prima do design parisiense, o Le Bristol continua sendo cobiçado por reis, príncipes e chefes de estado de todos os continentes. Nada mais natural que Sérgio Cabral e Adriana o elegessem como seu endereço na capital francesa.

Como o marido tem que se reunir com os coordenadores da candidatura do Rio à sede olímpica de 2016, a primeira-dama aproveita o restante da manhã para fazer compras. Pouco antes do almoço, Cabral estará a postos para uma palestra na Câmara de Comércio Brasil-França (CCBF). Dirige-se para lá com a fragrância suave de um de seus perfumes preferidos, Caron's Poivre. Na plateia, empresários brasileiros que investem na França, franceses dispostos a fazer o mesmo no Brasil e os que pretendem ampliar os negócios no Rio. Num inglês que trabalha para aprimorar em aulas matinais nos últimos meses, e que ainda precisa de reforço, Cabral destaca as qualidades do Brasil, como a diversificação do seu parque industrial e a matriz energética centrada em energias renováveis.

Apresenta o país como um paraíso de economia sólida e estável, e, claro, enaltece o Rio, "o local ideal para investimentos" por sua posição estratégica, infraestrutura e logística. Também explica a dimensão do Programa de Aceleração do Crescimento, o PAC, iniciativa do governo federal que visa atrair novos investimentos e mais emprego.

– Nosso estado vive um período de grande dinamismo econômico, que se reflete no significativo volume de investimentos públicos e privados da ordem de 60 bilhões de dólares, previstos para o período de 2010 a 2012 – diz o governador, repetindo as cifras com expressão de encantamento.

Há boa receptividade, o interesse é grande e os empresários enchem Cabral de perguntas. Nada fica sem resposta. Ele surpreende a todos com sua habilidade para números, percentuais e cálculos, que assegurariam retorno do investimento com rapidez.

Antes de deixar o auditório da CCBF, o governador estende a todos o convite para que compareçam ao jantar que lhe será oferecido pelo barão Gérard de Waldner e a baronesa Sylvia Amélia no Hotel de La Paiva – a mansão da cortesã Theresa Lachmann.

Em seguida, Sérgio Cabral retorna ao Le Bristol. Precisa ir aprumado para a homenagem à tarde no Senado, antes do banquete.

* * *

A Legião de Honra é a mais alta distinção concedida pela França. Possui cinco gradações: Grã-Cruz (a mais importante e normalmente destinada somente a reis, rainhas e demais chefes de estado), Grande Oficial, Comendador,

Oficial e Cavaleiro, em ordem decrescente.

Cabral está a poucas horas de ganhar a insígnia Oficial e entrar para um seleto grupo de brasileiro que recebeu a Legião de Honra. Ex-presidente da Câmara dos Deputados, um dos quadros mais importantes da história política do país e que ficou conhecido como Doutor Diretas – por sua luta pelo direito ao voto dos brasileiros para a presidência da república, em 1985 –, Ulysses Guimarães passou a fazer parte dessa galeria em 26 de novembro de 1986. Das 102 condecorações, títulos e medalhas com as quais fora agraciado ao longo da vida, a comenda francesa (Grande Oficial) era a que mais o orgulhava. No discurso de agradecimento na embaixada da França, em Brasília, exaltou o país de Napoleão Bonaparte: "Todo cidadão tem duas pátrias: a sua e a França, pela cultura e pela culinária. Quem não ama a França não é civilizado".

Dias depois da apologia de Ulysses, Sérgio Cabral amargaria sua primeira derrota: não fora eleito deputado estadual. Ele tomaria conhecimento daquelas declarações mais tarde e trataria de segui-las à risca – com suas intermináveis idas e vindas à capital francesa, até o momento mais solene de sua carreira política.

Em 16 de outubro de 2005, outro brasileiro ganharia idêntica deferência (Grande Oficial): o então ministro da Cultura, Gilberto Gil. Em seu discurso em Paris, naquele dia, Gil elogiou a complexidade do ser humano e se definiu como "existência que pode ser captada e compreendida pelos outros como uma totalidade trágica, paradoxal e contraditória". Emocionado, em um francês embalado em saboroso sotaque baiano, Gil não parou por aí. Se disse "fruto da união entre um homem e uma mulher mediante o orgasmo físico e psíquico em si mesmo, ao mesmo tempo necessidade e desejo, brutalidade natural e ternura simbólica". Foi aplaudido de pé numa cerimônia que reuniu 50 convidados e vários tradutores.

* * *

Já são 15h30 de 14 de setembro de 2009, a tarde é agradável em Paris. Sérgio Cabral está no plenário do Palácio de Luxemburgo – a sede do Senado francês – e usa sua tradicional gravata vermelha, eleita para solenidades de ponta. Rico em história, o Palácio de Luxemburgo remonta ao início do século XVII, num período em que a rainha Maria de Médici, viúva de Henrique IV, não suportava mais viver no Palácio do Louvre. Incomodada pela proximidade do Sena e seu odor nauseante, em razão do lixo e dos dejetos despejados no rio, ela havia comprado um hotel particular que pertencia a François de Luxembourg e ali viveu durante muitos anos. Em 1804, pela primeira vez, aquele espaço abrigaria a assembleia com 80 senadores e desde então se tornara a casa do alto poder legislativo da França.

Em minutos, o governador do Rio será condecorado com a Legião de Honra pelo presidente do Senado, Gérard Larcher, numa sessão especial. Cabral está exultante. Sabe que vai passar a fazer parte do mesmo catálogo que reúne nomes como o do general Charles de Gaulle e do rei Juan Carlos, da Espanha. Entre os convidados, há vários secretários de estado do Rio, empresários franceses e brasileiros, a cúpula do Comitê Olímpico Brasileiro (COB), entre outros, que horas depois participariam da festança que entraria para a história.

A cerimônia não é demorada, e Adriana parece tão orgulhosa quanto o marido. Ela se emociona e chora ao vê-lo condecorado, com a medalha no peito. Antes do discurso, porém, Cabral faz um mimo para a esposa, apresentada ao presidente do Senado como uma mulher briosa, companheira e também responsável por seu sucesso:

— Devo tudo isso, presidente Gérard Larcher, a minha mulher, que eu costumo chamar de minha riqueza, por sua força, carinho, dedicação e inteligência.

Depois, agradece a Larcher, ao Senado francês, aos presentes e cita os laços que unem os dois países e o Rio:

— Vejo esta homenagem não a mim, isoladamente, mas ao nosso estado, que, dessa forma, fica cada vez mais inserido no circuito internacional.

Diante dos convidados, faz referência elogiosa ao presidente Lula e ressalta que há centenas de "empresas francesas de todos os portes instaladas no Brasil — sendo o Rio o principal destino delas". Por fim, destaca que franceses e brasileiros, "particularmente os cariocas", compartilham um estilo de vida muito parecido: "o de saber viver", equilibrando as atividades de trabalho com o lazer.

Aos aplausos se sucedem abraços e apertos de mãos. Um dos mais efusivos cumprimentos é de João Havelange, então com 93 anos, e um dos principais articuladores da candidatura do Rio à sede olímpica em 2016. Havelange e Cabral estão ao lado de Carlos Arthur Nuzman, presidente do COB e do comitê da candidatura do Rio aos Jogos — dupla função, inédita no universo olímpico e que por isso causa estranheza à comunidade esportiva internacional. Os três trocam sorrisos e um diálogo informal. Estão imbuídos numa jornada coroada menos de um mês depois, no dia 2 de outubro de 2009, data em que o Rio seria escolhido para sediar a Olimpíada de 2016.

Cabral acaricia a medalha no peito a todo momento e posa para fotos com Havelange, Nuzman e os demais convidados, que fazem uma pequena fila para cumprimentá-lo, todos encantados com a beleza do plenário do Palácio de Luxemburgo.

A imagem do momento em que recebe a comenda de Gérard Larcher seria guardada dias depois, pelo governador, num álbum de capa personalizada, que reúne fotos de cada detalhe daquela cerimônia. Pelos próximos anos, Cabral reservaria a medalha para compromissos pontuais, como nas recepções a figurões franceses no Palácio Guanabara. Era uma forma de homenagear o visitante, mostrar prestígio e descontrair o ambiente – Cabral sempre foi mestre nisso.

* * *

É extensa a lista de celebridades condecoradas com a Legião de Honra: inclui personalidades de dezenas de países, como o antropólogo belga Claude Lévi-Strauss, o cineasta italiano Federico Fellini, o escritor colombiano Gabriel García Marquez. Entre os franceses, Charles de Gaulle e tantos outros nomes de primeira grandeza, como Gustave Flaubert, Victor Hugo, Auguste Rodin, Jean Cocteau e Louis Pasteur.

Apesar de toda pompa e tradição, não há unanimidade sobre o valor da honraria. Muita gente se recusou a recebê-la: Maurice Ravel, Jean-Paul Sartre – que "em nome da liberdade" fez o mesmo com o Prêmio Nobel de Literatura em 1964. Autor de "O capital no século XXI", o economista francês Thomas Piketty disse, em janeiro de 2015, que não cabia ao governo decidir quem é "honorável" e desdenhou da homenagem que lhe seria feita pelo então presidente François Hollande. A atriz Sophie Marceau fez o mesmo em março de 2016. Não admitia ser condecorada com a honraria também conferida ao príncipe herdeiro da Arábia Saudita, Mohammed bin Nayef, homenageado alguns dias antes – Mohammed teria dado aval para centenas de execuções contra adversários políticos em seu país, muitas por decapitação. O ditador sírio Bashar Al Assad também faz parte dos legionários franceses.

* * *

Sérgio Cabral se despede educadamente do pequeno grupo ao seu redor com o qual falava da imponência do Palácio de Luxemburgo. Tem alguma pressa para voltar ao hotel. Ao seu lado, Adriana sorri, mas também está inquieta. Precisa de tempo para mudar o visual, retocar a maquiagem e escolher as joias mais adequadas para o banquete na Champs-Elysées.

Depois de um dia intenso, com três eventos oficiais – reunião da Rio 2016, palestra na CCBF e a homenagem no Senado –, Sérgio Cabral vai, enfim, desfrutar daquele 14 de setembro. À noite, estará num dos endereços mais nobres da capital francesa e será o centro das atenções num evento desprovido – pelo menos é o que imagina – de formalidades excessivas. Ele tem a clara sensação de que domina Paris, que triunfa entre o arco e a torre. A Cidade Luz o fascina e agora está aos seus pés.

Capítulo 4
A TORRE EIFFEL É O LIMITE

Essa não é uma noite dedicada aos deleites do prazer convencional. A festa de 14 de setembro é muito mais que uma celebração. Sérgio Cabral e Adriana cruzam o hall do Le Bristol com a exuberância de Dom Pedro II acompanhado da imperatriz Teresa Cristina caminhando para entrar na carruagem revestida de veludo bordado e puxada por oito cavalos a caminho do cais, no epílogo da monarquia.

Na saída do hotel, o governador do Rio dá um tapinha nas costas do concierge. Do Le Bristol até o número 25 da Champs-Elysées, os olhos de Cabral transpõem vias que preservam muros embrenhados de história, como os que acolheram o ateliê de Pablo Picasso ou os da casa da família de Napoleão Bonaparte. Tudo isso num percurso bem curto. Da Rue du Faubourg Saint-Honoré, o carro segue até a Rue La Boétie e, dali, para a Champs-Elysées.

Sérgio Cabral chega triunfante à Avenida. Mesmo já habituado àquela atmosfera, não se cansa de admirar os "passistas" em trajes elegantes que deslizam suavemente pela Champs-Elysées. Não tentaria imitá-los. Sente-se como um deles. Dentro do carro, observa estátuas e monumentos. Adriana, com o brilho das joias pontuando sua imaginação, admira vitrines de luxo como se estivesse diante de uma coleção de obras de arte.

Num encontro que reúne lideranças de cidades como Rio de Janeiro e Paris, mulheres desempenham funções importantes. A primeira-dama se sente preparada para seguir o script que a ocasião lhe reserva, embora não tenha qualquer apreço pela etiqueta destinada às esposas no universo da política e dos negócios. Ela não quer – e nunca quis – o papel de mulher recatada e do lar.

Na saída do célebre Le Bristol, Adriana não conta com o governador ou o motorista para lhe abrir a porta do carro. Dispensa esse tratamento com naturalidade. Até porque não se enquadra no tipo de mulher que aguarda o gesto cavalheiresco de um homem para lhe abrir portas. Diferentemente do estereótipo da primeira-dama, Adriana é batalhadora, determinada, independente e muito ambiciosa. O que não impede o governador de apresentá-la carinhosamente como "minha riqueza".

O trajeto do Le Bristol até o Hotel de La Paiva, passando por endereços icônicos na principal rota do mercado de luxo internacional, é tão rápido que poderia ser feito em menos de dez minutos a pé. Mas o caminho percorrido pela primeira-dama até chegar a um dos espaços mais célebres da Champs-Elysées não foi tão imediato assim.

Nascida em São Paulo, filha de pais separados, Adriana Ancelmo passou a infância na Zona Sul do Rio, com a mãe. Estudou em escolas públicas durante os anos 80 e ingressou na Faculdade de Direito da Pontifícia Universidade Católica

(PUC), onde despertou a atenção do professor Régis Fichtner, que anos mais tarde, já como secretário da Casa Civil do estado, descreveria a ex-aluna como "brilhante".

A mulher do governador é muito mais do que uma acompanhante complacente. Tem ambição e talento suficientes para usar um evento daquele porte para fazer *business*. É o que está na sua agenda essa noite. Ela é sócia de um dos escritórios de advocacia mais requisitados do Rio e já descansou o bastante nesta sua estada em Paris: passou o sábado (12 de setembro) e o domingo (13) percorrendo a Champs-Elysées, fazendo compras entre a Christian Dior, a Tiffany & Co e a Louis Vuitton, sem se importar com preço. Gostou, gastou, levou. A vida com dinheiro contado faz parte de um passado distante.

Adriana vive um momento especial e tenta se aproveitar disso. A França está interessada no Brasil, e Paris quer o Rio. A primeira-dama se orgulha de ser cortejada pelo *crème de la crème* parisiense. Com a carreira de seu marido em ascensão, analistas políticos não descartam a hipótese de Adriana vir a ocupar um alto cargo público. Embora ela jamais tenha manifestado qualquer interesse na política, os franceses que investem no Rio sabem que um ex-governador do estado (Anthony Garotinho) já elegeu a esposa (Rosinha Matheus) sua sucessora, após deixar o cargo para concorrer à presidência da república – os dois casais, aliás, se cruzariam diversas vezes, num clássico enredo de amor e ódio.

No fim dos anos 90, Garotinho e Cabral alternariam momentos de proximidade e desavenças, quando eram governador e presidente da Assembleia Legislativa do Estado do Rio de Janeiro. No meio do caminho, em 1996, Cabral tentou suceder Cesar Maia na prefeitura carioca, mas perdeu a disputa no segundo turno para Luiz Paulo Conde, do PFL. Em 2002, em aliança com Rosinha, elegeu-se senador. Quatro anos e três meses depois, no início do primeiro mandato de Cabral como governador, Rosinha desferiu uma série de ataques, acusando-o de jogo sujo e traição, ao cancelar seus projetos sociais a pretexto de substituí-los por ações em parceria com o governo Lula.

Cada vez mais distantes, talvez subestimando o poder de seus antigos aliados, Cabral e Adriana pareciam não se importar com a rivalidade que crescia diante dos eleitores. Uma vingança com desdobramentos irreversíveis no mundo político já estaria em curso. Mas nada disso abala Adriana, apelidada pelo casal Garotinho de primeira-dama da República do Leblon, uma referência a um dos bairros mais nobres do país.

Protegida pela pouca exposição na mídia – até então de fato não é um rosto conhecido –, Adriana se sente imune a patrulhamentos na capital francesa, onde sempre circula com tranquilidade e gasta o que quer nas lojas de luxo da Champs-Elysées.

Discreta, com um vestido escuro evitando as cores chamativas, Adriana não tem nada de perua, o clichê da mulher exagerada nos adornos. Longe disso. Ela desperta a atenção apenas pelas solas vermelhas do par de sapatos criados por Christian Louboutin, um dos designers franceses mais incensados do mundo fashion, reconhecido por calçar os pés de Angelina Jolie, Victoria Beckham, Dita Von Teese e de brasileiras dispostas a pagar entre R$ 2 mil e R$ 12 mil por um par de seus calçados feitos a mão.

Em minutos, Adriana entrará no salão principal, ciente de que será homenageada, mas também observada, julgada e analisada. Sem rivais ou inimigos por perto, essa é a noite ideal para o casal brilhar. A primeira-dama está pronta para ir além de poses e cumprimentos cordiais. O cenário se mostra cada vez mais convidativo. Com a concorrida Fnac e as lojas da Nike e da Disney já encerrando o expediente, a Champs-Elysées torna-se um lugar mais tranquilo. Sem os grupos de excursão circulando por ali, o silêncio é quebrado apenas pela música dos restaurantes.

A menos de 500 metros, as luzes do Arco do Triunfo dão ainda mais glamour ao ambiente. As bicicletas saem de cena; é a vez dos automóveis suntuosos. Já passa das 20 horas e uma Mercedes preta S-600 estaciona em frente ao número 25 da Champs-Elysées. Ela conduz Cabral e Adriana. A chegada deles é festejada. Um séquito de amigos, subordinados e bajuladores os aguarda do lado de fora do antigo palácio de uma das mais bem-sucedidas cortesãs da França no século XIX, Theresa Lachmann.

Bem-humorado, Cabral é abraçado por seus secretários e outros amigos, entre eles Fernando Cavendish, Georges Sadala e Ricardo Pernambuco Júnior. Claro, é o centro das atenções. Começa a contar anedotas e diverte o grupo. Em dado momento, declara seu amor por Paris, vira-se para Cavendish e anuncia um novo projeto de seu governo:

– Tomei uma decisão. Vou abrir uma subsede do Palácio Guanabara aqui na Champs-Elysées. Já pesquisei, consultei preços... Conto com a sua colaboração!

O empresário, dono da Delta Construções, cai na gargalhada. O governador muda de assunto e agora fala de suas andanças pela capital francesa. Entre os amigos, chama a atenção a alegria mais exacerbada de alguns deles, que, hospedados na própria Champs-Elysées, fizeram um pit stop num bistrô quase ali ao lado, a caminho da festa. Georges Sadala, por exemplo; ele foi receber Cabral na rua já com uma taça de vinho na mão.

– Fizemos um aquecimento – explica Cavendish, quando Cabral pergunta se já estavam a sua espera há algum tempo.

Ainda na entrada, enquanto os homens se divertem por alguns minutos com o governador, as mulheres se reúnem em torno de Adriana. Os grupos estão a cinco metros um do outro, e a primeira-dama sorri ao notar a animação do marido. Às vezes, movimenta a cabeça para os lados, como se estivesse contrariada com algum comentário ou piada dele. Mas sua expressão é de leveza e seus olhos revelam ternura. Não há dúvida: para Cabral, Adriana aprova tudo que ele faz.

Num dado momento, Christian Louboutin é reverenciado por Adriana e mais três amigas bem em frente à mansão da cortesã. Elas se apoiam, umas nas outras, para levantar os pés e exibir a sola colorida de seus sapatos. Quem passa pela Champs-Elysées acha graça. O bate-papo é agradável, as luzes da *Avenue* hipnotizam. Mas há um protocolo a seguir, e Adriana quer respeitá-lo:

– Vamos? Estão todos nos esperando.

Como ainda não há aparelhos celulares disponíveis com câmeras potentes e redes sociais de compartilhamento de imagens, não há preocupação com eventuais indiscrições, um ou outro exagero.

Está tudo dominado. O evento dos sonhos vai começar.

Capítulo 5
O PALACETE DA CORTESÃ

A noite prossegue e, por algum tempo, Cabral e Adriana deixam de lado a comitiva brasileira. O barão Gérard de Waldner, cuja nobreza da família é associada aos tempos das Cruzadas, e a baronesa Sylvia Amélia, filha de embaixadores do Brasil na Unesco, recebem de braços abertos o casal, mas mantêm uma certa formalidade. Já estão na mansão há mais de 30 minutos. Uma recepção que mistura afagos em francês, português, inglês e até em espanhol.

O próprio barão se encarrega de contar as histórias excêntricas sobre a luxuosa mansão, desde 1903 sede do Travellers Club – uma instituição exclusivamente de homens da *high* parisiense, cerca de 750, muitos deles grandes empresários –, do qual é presidente. Explica que se aquele palácio agora é bem frequentado, no passado festas libidinosas davam o tom do lugar, e algumas viraram lendas que ainda envolvem a antiga e famosa residente.

A marquesa de La Paiva, como era conhecida Theresa Lachmann, destoava por ser uma mulher exuberante, de olhos verdes e cabelos avermelhados. Reinava absoluta em

Paris com sua sensualidade lá pelos idos de 1830 – época em que abandonou o marido pobre, o alfaiate François Villoing, e o filho, Antoine, para seguir em aventuras com um músico francês. Mais tarde ela o levou à ruína e foi atirada na rua pela família do amante. Estatelada na Champs-Elysées, sob o olhar reprovador de guardas noturnos e boêmios, fez a si mesma o juramento de que um dia seria rica, poderosa e se vingaria daquele gesto, construindo uma das melhores residências do lugar.

Obstinada, envolveu-se com nobres e milionários europeus e conseguiu dinheiro suficiente para pagar as dívidas do falido marquês Albino Francisco Araújo de Paiva. O passo seguinte já estava consolidado. Casou-se com ele, a fim de conquistar o prestígio e o título de marquesa.

Foi pega de surpresa pouco depois pelo suicídio do marido. Ainda assim, se manteve firme e estreitou relações com os mais abastados membros da sociedade francesa. Aos 38 anos, conheceu o jovem conde da Prússia, Guido von Donnersmarck, de 27 anos, já dono de uma bela fortuna. Com o dinheiro dele, Theresa ergueu o palacete.

Ali, onde agora Cabral e Adriana ouvem atentos os relatos feitos pelo barão Gérard de Waldner, Theresa Lachmann recebia, em trajes informais, até Napoleão III. Todas aquelas histórias deixam o governador e a esposa inebriados. Um enredo de tanta obstinação por dinheiro e poder tornam o início da noite muito especial.

Eles percorrem os três pavimentos do luxuoso prédio. O governador é tomado pelo encanto diante de obras de arte como as estátuas de Dante e Virgílio, localizadas entre dois lances da escada forrada de ouro e ônix, pedra mais valiosa do que o mais caro dos mármores.

Já a primeira-dama comenta com a baronesa sua preferência por algo mais contemporâneo, como as obras do brasileiro Romero Britto. As duas não desprezam a formalidade, embora pareçam descontraídas. Adriana está atenta e demonstra curiosidade diante do que lhe é mostrado. Não sucumbe à curiosidade de saber da baronesa se a história de um galanteio do cantor Roberto Carlos com ela é verdadeira.

Sylvia Amélia ganhou do colunista Ibrahim Sued, nos anos 70, o apelido de "Pantera", tal sua beleza. Neta do sanitarista Carlos Chagas, cientista que descobriu a doença de Chagas, ela foi musa dos estilistas Yves Saint Laurent, Valentino e Givenchy, gênios da moda europeia de todos os tempos, e tornou-se celebridade na Europa. Frequenta os endereços mais chiques de Paris, entre eles a mansão da Champs-Elysées, localizada a apenas nove quarteirões do Arco do Triunfo, que apresenta a Adriana como se fosse uma extensão de sua casa.

O prédio de três pavimentos é um monumento histórico, assinado pelo arquiteto francês Pierre Manguin. A cozinha fica no porão e o restaurante, no térreo – local onde a marquesa mantinha sua suíte. Em seus salões, há quadros de mulheres seminuas, a maioria encomendados por Theresa Lachmann e inspirados em suas próprias formas. O barão explica o significado de cada obra a um Cabral boquiaberto. O governador se detém por alguns instantes diante de uma delas, com ar de veneração, até ser cutucado por Adriana; ela pede que acompanhem o *tour* em sintonia com o barão, para que não percam nenhum detalhe.

Há ainda esculturas femininas com rostos lânguidos, também semelhantes ao de Theresa, quase todas com seios à mostra. São caprichosas e imponentes. Obcecado por banheiros de luxo, Cabral já conhecia a fama do toalete do Travellers Club e pede para visitá-lo. É um dos momentos mais marcantes desse início de noite. Com decoração hispânica, adornado com azulejos de faiança – uma forma de cerâmica branca – e uma banheira feita com um único bloco de ônix, o local é dos mais admirados pelos turistas, que só têm acesso à mansão depois de agendamento com guias.

Ali, recolhida para banhos mais demorados, Theresa Lachmann vez por outra enchia a banheira com champanhe. Fazia isso no auge do movimento na casa e atraía seus convidados para orgias ao sabor de espumantes. Cabral e Adriana riem dos detalhes sobre a rotina e os hábitos da cortesã. Eles estão impressionados com o requinte do lugar e, claro, com o estilo de vida da marquesa, que, sedutora, se impôs com a prostituição e ganhou lugar de destaque na França por ter sido responsável por um dos mais belos patrimônios do país.

A visita prossegue e eles passam pela sala de música, onde há uma enorme lareira, com mármore vermelho e branco, placas de ouro ao redor e uma cortina aveludada atrás. Suas colunas têm imagens de mulheres seminuas esculpidas em bronze.

O barão e a baronesa aceleram o passo. Como Cabral e Adriana têm a companhia dos amigos, muitas vezes os anfitriões precisam repetir o que disseram e isso pode atrasar o jantar.

No palacete, há ainda um espaço para jogos de bilhar e o teto do salão principal é decantado com uma obra de Paul Baudry, pintor da Ópera Garnier. Em meio a tanto luxo, destaca-se ainda o jardim de inverno que dá vista para a Champs-Elysées. Primo do banqueiro David de Rothschild, o barão conhece arte e produz suas telas também. Ele passa temporadas numa casa de campo, na Normandia – onde mantém um ateliê e pinta, sobretudo, paisagens.

Ele e a baronesa já mostraram quase tudo para Cabral e Adriana. Agora, fazem uma pausa no bar localizado num corredor do primeiro andar. É ali que estão distribuídos os demais convidados – alguns em espasmos de alegria pela quantidade de imagens sensuais em todos os cantos. Com um deles, Cabral comenta:

– O barão é gente fina. Gostei dele.

Esse momento ainda registra a chegada de mais gente à festa. Como presidente do clube que cede seu espaço para o jantar e conectado aos interesses do evento, o barão teve liberdade para convidar associados do Travellers: empresários franceses de prestígio que querem se aproximar de Cabral.

O governador agradece a cordialidade em português e em francês – uma cortesia a Waldner. Casado há 36 anos com Sylvia Amélia, Gérard de Waldner se comunica bem no idioma da esposa e está lisonjeado com a presença do homenageado. Promete retribuir em breve a visita.

Discretamente, os apoiadores da festa se aproximam e cumprimentam Cabral. Os empresários do grupo Peugeot fazem questão de manter o anonimato sobre a participação deles no evento. Com total discrição, não se distinguem como coanfitriões, deixando a honraria para o presidente do clube e a baronesa. O importante é que o governador saiba da gentileza.

Todos vão se acomodando em poltronas largas e cadeiras de cedro, cobertas por uma camada de espuma escondida sob tecidos de cores vermelha e branca.

Capítulo 6
O G7 DO GOVERNADOR

Numa festa cujos objetivos são a celebração pessoal de Cabral e a prospecção de negócios para o Rio, o presidente Lula e seus ministros não são esperados. As desavenças políticas também mantêm afastados os ex-governadores Garotinho e Rosinha. Já o prefeito Eduardo Paes e seu secretário da Casa Civil, Pedro Paulo, têm lugar de destaque assegurado: vão ocupar a mesma mesa de Sérgio Cabral.

A pequena lista de ausências inclui ainda uma pessoa de extrema importância para o governo Cabral e que permanece no Rio. Dorita não é conhecida dos eleitores e se notabiliza pela discrição no exercício de suas atividades no Palácio Guanabara. Ela já estava com tudo pronto para a viagem.

Em meados de agosto de 2009, a sede do governo do estado é tomada por um burburinho que ganha maior volume nas salas anexas ao gabinete de Cabral. Aproxima-se a data dos eventos em Paris. Há entre os assistentes diretos do governador uma apreensão. Consideram – e isso é compartilhado por todos ali – que Cabral exagerou na quantidade de nomes para o *tour* à capital francesa.

– Isso é um trem da alegria. Se a imprensa souber, vira um prato cheio – comenta um dos assessores, durante reunião de rotina com a equipe de comunicação.

Por vários dias, esse assunto é o mais comentado pelo staff de Cabral no Palácio. Na condição de chefe de imprensa, a jornalista Valéria Blanc vai ao encontro dele e faz a ressalva. Sente-se na obrigação de alertá-lo:

– Governador, mesmo que essas pessoas aqui arquem com os custos da viagem, das passagens e das hospedagens, tem gente demais. Isso não é bom. Não pega bem. Conheço meus colegas. Se isso chegar lá nas redações, vai dar muita dor de cabeça.

Diante da advertência, Cabral põe os óculos e pede que lhe tragam uma cópia da lista de convidados. A princípio, dá razão à assessora:

– Você acha? – reage, com a voz baixa.

Está pensativo e passa a avaliar nome por nome. Com uma caneta, risca alguns da relação.

– Ok. Então esse não vai, esse não, esse também não. Esse tem que ir, esse mais ainda, evidente – diz o governador, que às vezes deixa a caneta no ar, entre dois dedos, antes de aprovar ou não um dos que compõem a lista.

Quando passa os olhos no nome de Maria Auxiliadora Pereira Carneiro, conhecida como Dorita, sua chefe de gabinete, decide retirá-la da viagem:

– A Dorita não vai mais, não há necessidade.

Horas depois, informada sobre a exclusão, ela fica desapontada e tenta saber os motivos. Mas não reclama. É acima de tudo uma mulher elegante e disciplinada às regras do trabalho.

Dois ou três dias mais tarde, o grupo que balbuciava

sobre a locomotiva festiva de Cabral constata que o governador não levou muito a sério aqueles rabiscos.

– Só sobrou mesmo para a coitada da Dorita – observa um assessor.

Uma injustiça, pois seus colegas do Palácio Guanabara são testemunhas da dedicação de Dorita ao governo e de quantos fios de cabelo branco ganhou – e ganharia – durante a gestão de Cabral.

* * *

Não seria tarefa difícil identificar os nomes que jamais poderiam ser alijados da intimidade de Cabral naquele setembro de 2009. Em primeiro lugar, obviamente, sua esposa Adriana, Sérgio Cabral pai e a mãe, Magaly.

Depois, os mestres em captar sons, palavras e até pensamentos do chefe por leitura labial: os secretários de estado Wilson Carlos (Governo), Régis Fichtner (Casa Civil) e Sérgio Côrtes (Saúde). Já Fernando Cavendish ocupa lugar de honra na relação vip de empresários-amigos, assim como Georges Sadala, Ricardo Pernambuco Júnior e Marco Antônio de Luca. É o G7 de Sérgio Cabral.

O governador já avisou ao grupo que há outros compromissos oficiais em Paris, mas, faz questão de realçar, a noite de 14 de setembro vai ser imperdível, com o banquete, muita música e dança na histórica mansão de Theresa Lachmann. Quer que eles levem também as esposas.

A tropa de choque de Cabral é visionária: tem plena consciência de que usufruir de sua companhia em um evento tão sofisticado em Paris significa muito mais que trabalho. Cavendish que o diga. Ele é proprietário de um suntuoso apartamento na Avenida Vieira Souto, em Ipanema, e também dono da Delta Construções, empresa com contratos milionários com o governo do Rio, parceria que nasceu antes mesmo da posse de Cabral, em janeiro de 2007.

Os negócios com o estado renderiam à Delta R$ 1,49 bilhão, entre 2007 e o início de 2012. Desse total, R$ 234 milhões com dispensa de licitação. A Delta também expandia negócios com a prefeitura do Rio: de 2002 a 2011, em duas gestões de Cesar Maia e em parte do primeiro mandato de Eduardo Paes, fecharia contratos que somavam R$ 549 milhões.

Como já dispõe de trânsito livre em âmbito federal, a construtora tem um futuro estelar. Só para esse ano de 2009, a União lhe reserva R$ 500 milhões – parte desse valor para tocar as obras no Complexo do Alemão, uma das comunidades mais violentas do Rio. Ali, a Delta tem o compromisso de erguer mil apartamentos e instalar um teleférico.

Com jeito blasé, Cavendish frequenta uma academia de ginástica perto de casa. Não é muito de papo. Curte festas noturnas pela Zona Sul do Rio restrito à companhia dos amigos e gosta de degustar os melhores vinhos do mundo de sua varanda, de frente para o mar. Vira e mexe seu nome surge discretamente em notinhas de colunas sociais. São sempre positivas. Em setembro de 2009, ele está acima do bem e do mal.

Salada é como Cabral chama Georges Sadala, outro parceiro do governo do estado, a quem fornece dois serviços: o Poupatempo, explorado pela GelPar, da qual é um dos sócios, e o de crédito consignado aos funcionários públicos, na condição de representante do Banco BMG. O empresário se juntou ao grupo de Cabral em 2006 por intermédio de Wilson Carlos, que conheceu graças a um tio, que participava de uma roda semanal de pôquer com o secretário de governo, na Barra da Tijuca. Depois, passou a frequentar as viagens de Cabral ao exterior. É apontado como um dos mais leais amigos do governador.

Georges Sadala se vangloria de ser o único, entre a turma de Cabral, a ter uma casa que ocupa dois lotes de terreno de frente para o mar, na Praia de São Braz, no condomínio Portobello, em Mangaratiba, no litoral sul do Rio. Essa aproximação com Cabral também estreita as relações entre as esposas, Adriana e Ana Paula Campos, advogada paranaense casada com Sadala desde 2007. Aliás, a cerimônia de casamento encheu de luzes e orquídeas a Igreja da Candelária, no Centro do Rio, em dezembro daquele ano. O governador de Minas, Aécio Neves, foi um dos padrinhos do casal, enquanto Tiago, filho de Cabral e Adriana, cumpria à risca o papel de pajem:

– O Gê *(outro apelido de Georges Sadala)* é uma das poucas unanimidades que conheço – comentou Aécio, minutos depois de apadrinhá-lo.

A presença de autoridades encheu de glamour aquele início de noite na Candelária. A celebração se estendeu até o Copacabana Palace, numa festa para 800 convidados. Sadala e Ana Paula seguiram no dia seguinte para a lua de mel na Polinésia Francesa.

Ele apostou cedo em Cabral e agora colhe os frutos. Em 2006, por exemplo, criou um serviço de correio privado para a entrega de material publicitário do então candidato ao governo do estado. O objetivo? Consolidar a imagem de Sérgio Cabral como político austero.

Essa seleção de grandes investidores ligados a Cabral

inclui Ricardo Pernambuco Júnior, acionista da Carioca Engenharia, mais uma empreiteira com DNA de projetos pra lá de ambiciosos, com participação em obras na Linha 4 do Metrô (Ipanema-Barra) e no Porto Maravilha. Já Marco Antônio de Luca é ligado ao grupo Masan, fornecedor de merenda escolar e refeições (quentinhas) a vários setores da administração estadual. Cabral o trata "como um amigo muito próximo". Uma vez lhe descreveu a comida servida no Palácio Guanabara com uma expressão nauseante:

– As suas quentinhas devem ser muito mais saborosas. O que fazem aqui é uma gororoba, e de quinta divisão.

Isso foi mais ou menos no período em que pediu à direção da Federação do Comércio do Estado do Rio de Janeiro que lhe cedesse a chef de cozinha Ana Rita Menegaz para trabalhar na sede do governo. Ela fazia um curso de gastronomia em Paris, em abril de 2007, quando recebeu a proposta. Logo, preparou um foie gras flambado com buquê de folhas e chantilly balsâmico e o ofereceu à primeira-dama Adriana Ancelmo. Naquele dia mesmo assumiu o cardápio do governador.

Entre esses empresários há respeito e cumplicidade. Todos andam em campos minados, mas um indica ao outro qual o melhor caminho e os eventuais atalhos. Ninguém ali vai supor que uma explosão pode atingi-los em cadeia. Cabral tem um prestígio inabalável pra cima, com o "01", e pra baixo, com o povão. Seus níveis de aprovação nas sondagens mostram uma população muito satisfeita com os rumos de sua gestão.

Na lista da viagem a Paris, a ala dos secretários de estado é composta por um núcleo uterino. Wilson Carlos vem na comissão de frente, ladeado por Régis Fichtner e Sérgio

Côrtes. Julio Lopes está meio passo atrás, ainda que distante da classe econômica. Joaquim Levy (Fazenda) e Julio Bueno (Desenvolvimento) são outros convidados de ponta de Cabral – os dois vão aproveitar a estada na capital francesa para reuniões com empresários interessados em investir no Rio.

A amizade mais longa de Cabral no grupo é com Wilson Carlos. Estudaram juntos no Colégio Bennett, no Flamengo, Zona Sul, no início dos anos 80, período em que Wilson acompanhou todos os discursos do futuro político defendendo uma sociedade justa e igualitária, com distribuição de renda, saúde e educação pública de qualidade, e cadeia para os corruptos. Cabral abordava esses temas em palestras inflamadas no pátio da instituição, da qual presidia o diretório acadêmico.

Já Wilson era mais fanfarrão: dava ênfase a imitações do apresentador Chacrinha, famoso pelos figurinos extravagantes e pelo bordão "quem não se comunica se trumbica". Também gostava de caricaturar trejeitos de professores e inspetores – certa vez, flagrado em pleno ato de deboche, quase levou uma suspensão.

Nessa época os dois amigos já se aventuravam pelos bares do bairro depois da aula e costumavam se encontrar nos finais de semana. Quando se excedia na cerveja, Wilson botava as mãos na boca e repetia o mantra de Chacrinha, com a voz rouca e grave: "Alô, alô, Terezinha!". Por pouco, Cabral não rolava no chão de tanto rir.

Casado com Mônica Araújo, Wilson Carlos divide as horas de lazer entre uma bela mansão vizinha à de Sérgio Cabral, em Mangaratiba, e outra casa luxuosa, em Itaipava, em Petrópolis, região serrana do Rio. Como lhe sobra dinheiro, pode ser visto de limusine nos Estados Unidos ou se divertindo nos restaurantes mais caros de Paris.

Mais comedido, Fichtner é o eixo racional do chamado G7. Sua trajetória de professor de Direito e procurador do estado do Rio lhe confere formalidade até mesmo quando está entre os pares que esconderiam o cocuruto em guardanapos.

Versátil, é o homem de Cabral para apagar incêndios. Numa das vezes em que o governador e o prefeito Eduardo Paes se entreolharam enviesados, como garotos que se acusam em joguinhos de bola de gude, Fichtner entrou em ação para impedir que o fogo se alastrasse. A primeira providência foi após um encontro casual com o chefe da Casa Civil da prefeitura, Pedro Paulo, em Brasília. Tomaram um cafezinho com adoçante e marcaram uma reunião tão logo chegassem ao Rio. O entrosamento com o pupilo do prefeito se intensificou depois que Fichtner passou a frequentar a academia já utilizada por Pedro Paulo, na capital carioca. Malhavam algumas vezes juntos e ficavam cochichando sobre política. Tal proximidade teve reflexos nos embates silenciosos entre Cabral e Eduardo Paes. Ele e Pedro Paulo agiam com destreza para desfazer picuinhas que pudessem abalar a relação de seus chefes, ambos muito vaidosos. E sempre tiveram êxito.

Especializado em cirurgia ortopédica e responsável pela recuperação do Instituto Nacional de Traumatologia e Ortopedia (Into), no Rio, Sérgio Côrtes é um gestor de Saúde credenciado a voos muito acima das nuvens. Seu nome está cotado para o ministério da pasta mais criticada do país. Foi por seu intermédio que o Instituto revisou mais de 50 contratos com fornecedores, entre 2002 e 2006. A medida resultou na devolução de R$ 2,5 milhões aos cofres públicos.

— Esse cara joga no meu time — dizia Cabral toda vez que alguém se referia à gestão de Côrtes no Into.

No dia a dia com o governador, o secretário de Saúde não rejeita convites para viagens turísticas ou a trabalho. Em dezembro de 2010, em Buenos Aires, Cabral quase o obrigaria a dançar tango — desta vez sem sucesso. Com assento reservado no topo da administração pública, em razão da elogiada implantação no estado das Unidades de Pronto Atendimento, as chamadas UPAs, Côrtes é presença obrigatória na festa de Sérgio Cabral. E vai.

Todos esses nomes agem no imaginário de Cabral como súditos que dão legitimidade a seus atos. Juntos, eles formam uma espécie de versão moderna da realeza, encastelada no Palácio Guanabara. E a maioria desempenha seus papéis bem de acordo com o roteiro fantasioso que deixará em ruínas toda aquela engenhosa arquitetura cuja finalidade, como se veria anos mais tarde, era uma só.

* * *

Nos últimos dias do discreto inverno carioca de 2009 há uma negociação em curso para viabilizar o projeto de um trem-bala entre Rio e São Paulo. O secretário de transportes, Julio Lopes, deve juntar o máximo de informações sobre o tema e repassá-las a Cabral. O governador conhece o sistema por conta de viagens realizadas com esta finalidade, entre 2007 e 2009. Andou de trem-bala na Alemanha, França, Itália e ficou fascinado. Numa reunião com o secretariado no Palácio Guanabara, em julho de 2009, destila mais uma vez seu bom humor, dotado de toxinas:

— O José Serra está obcecado com essa história do

trem-bala. Ele quer um projeto idêntico ligando São Paulo a Brasília. É porque a candidatura dele não decola.

O chiste mira a corrida presidencial de 2010, da qual Serra sairia da pista no segundo turno – perderia para Dilma Rousseff.

Julio Lopes acompanhou o governador nessas e em outras viagens. Eles sabem também do interesse de empresas japonesas em trilhar parcerias com o estado. Em 3 de dezembro de 2007, Julio Lopes esteve em São Paulo para participar de um seminário sobre o trem-bala. Na volta, o avião ficou retido por meia hora no Aeroporto Santos Dumont por causa de uma pipa inconsequente e sem rumo. A bordo, o secretário de Transportes aproveitou o tempo com um discurso sobre a importância do projeto. Recebeu aplausos de uns e olhares atravessados de outros.

Apaixonado por Paris, Julio Lopes já comprou o terno novo com o qual prestigiará Cabral em 14 de setembro. Ele tem um papel fundamental na organização da festa: fez a ponte entre Cabral e o barão e a baronesa.

Embora não venha de um berço tradicional, Julio Lopes juntou algum dinheiro antes de entrar para a política como empresário da educação – como dono do colégio Centro Educacional da Lagoa – e aos poucos foi aceito em rodas do *high society* carioca. É tratado pelos amigos de "professor Julio" ou de "engomado". De fato, está sempre com a roupa impecavelmente elegante e o cabelo jamais se despenteia, mesmo se estiver no olho de um furacão na Flórida.

Os nomes de convidados eminentes do governador brotam às dezenas e ele ainda está diante da lista em seu gabinete, no Palácio Guanabara. Bebe um copo de água, passa a mão na testa, toma outra xícara de café. Nem pensar – longe disso – em pincelar aquelas gotinhas pegajosas de *liquid paper* onde se leem os nomes dos empresários João Pereira Coutinho, Benedicto Júnior e, opa, Aloysio Neves, este então é "top 10". Cabral aposta as fichas naquele sujeito meio atarracado e sisudo, advogado e jornalista, ex-repórter da revista "Manchete" e ex-colunista do "Jornal dos Sports". Chefe de seu gabinete quando presidiu a Alerj entre 1995 e 2002, e mais tarde conselheiro do Tribunal de Contas do Estado (TCE), cargo em que tomaria posse em 2010, Aloysio Neves é um dos queridinhos do governador.

– Acima de tudo, ele é um sujeito de palavra – enaltece.

O governador não abre mão da presença de vários empresários da França, do Brasil e de Portugal, e de Carlos Arthur Nuzman, este trabalhando nos ajustes finais da candidatura da capital carioca para sediar a Olimpíada de 2016. Também quer, por pura vaidade, que o prefeito Eduardo Paes saia da zona de conforto do Palácio da Cidade e vá prestigiá-lo em Paris. Ao determinar quem deve ser contemplado com passagens e hospedagem, aí sim ele exclui Paes:

– Vai por conta própria, até porque ele prefere assim.

Alguns dias depois, na noite de 10 de setembro de 2009, já no saguão do Aeroporto Internacional do Galeão, ao avistar um dos assessores, Cabral pergunta sobre o resultado de um jogo do Vasco, pela segunda divisão do Campeonato Brasileiro.

– Quanto foi?

Confundiu-se. Seu time jogaria somente no dia seguinte. E em outro lapso de memória, indaga ao mesmo assessor:

– Não estou vendo a Dorita. Ela vai quando?

Capítulo 7
REPÚBLICA DE MANGARATIBA

Ainda no bar da mansão, antes de seguir para o jantar, no salão principal, Eduardo Paes pede um copo d'água enquanto conversa discretamente com seu fiel escudeiro, Pedro Paulo. Embora o lugar de Paes esteja reservado na mesa do governador, é possível perceber um distanciamento proposital da parte do prefeito. Transitando em diversos universos, Cabral sempre aponta Paes como seu grande parceiro, mas não consegue trazê-lo, como gostaria, para seu núcleo mais íntimo, conhecido como "República de Mangaratiba".

Os franceses ali presentes não fazem ideia, mas a 110 quilômetros do Centro do Rio, a Costa Verde do litoral sul fluminense é o éden de muitos milionários, deslumbrados com a posse de praias desertas e de águas limpas sombreadas pela vegetação da Serra do Mar. São donos de despojadas mansões em Mangaratiba – cidade em que Mário Peixoto filmou "Limite", em 1930, um dos clássicos do cinema nacional.

Um heliponto facilita a vida de Sérgio Cabral e de seus vizinhos no Portobello Resort, o condomínio mais vistoso da região, com trilhas ecológicas, cachoeiras, plantações de palmito e uma fazenda com criação de gado e produção de queijos artesanais. O governador, quando não está em Paris, em outra viagem ao exterior ou no seu luxuoso apartamento do Leblon, desfruta do confortável sossego de sua bela casa em Mangaratiba, pernas esticadas à beira da piscina, com jornais e revistas empilhados e uma garrafa de uísque a espiá-lo de perto.

Entre 2007 e 2014, nos seus dois mandatos, helicópteros oficiais pousariam quase 1.500 vezes no condomínio. De acordo com o Ministério Público, em pelo menos 109 ocasiões, três helicópteros do estado do Rio se deslocariam, ao mesmo tempo, até o Portobello para buscar a família Cabral, empregados e convidados. Mil e quinhentas viagens de ida e volta do Rio de Janeiro a Portobello equivalem a 330 mil quilômetros. Ou seja, as aeronaves usadas pelo governador, e custeadas pelo contribuinte, poderiam dar aproximadamente oito voltas completas ao redor do planeta para assegurar a ele, aos parentes e amigos dias de paz e descanso em seu paraíso particular. O uso quase ininterrupto de helicópteros naquele trajeto servia também para transportar um passageiro desafeito às regras da aviação comercial: o cãozinho da raça shitzu Juquinha, de um dos filhos de Cabral, que viajava fora das caixas apropriadas para levar animais.

No condomínio de Portobello, o jet ski, estacionado na garagem, é um hobby dos filhos mais velhos – sempre vigiados por militares que se revezam na segurança da família. Cabral prefere passeios curtos em sua lancha Manhattan, de até 45 minutos, até a Lagoa Azul ou a Praia de Lopes Mendes, duas exuberâncias de Ilha Grande, em Angra dos Reis. Avaliada em R$ 5 milhões, a embarcação é um luxo só: tem suíte, duas salas, bar lounge, copa e cozinha. A despeito de seu tamanho e imponência, é uma lancha veloz, a Ferrari dos mares segundo especialistas do assunto. Cabral tem um funcionário contratado, credenciado pela Marinha, para conduzi-la. Em horas de relaxamento, convida os amigos para pescar.

O requinte da mansão, adquirida nos anos 90, quando Cabral ocupava uma cadeira de deputado estadual, foi motivo de várias discussões entre Sérgio Cabral pai – conselheiro do Tribunal de Contas do Município do Rio de 1993 a 2007 – e antigos amigos, alguns deles jornalistas. Ele não admitia que o filho fosse tachado de corrupto, muito menos que desconfiassem da origem do patrimônio de Serginho – apesar de nem tudo constar das declarações à Justiça Eleitoral.

O governador, em 2009, sente-se imune a esses questionamentos. Gosta de viajar para Mangaratiba e de receber em sua casa o presidente Lula para costurar alianças durante churrascos que se prolongam até o fim da noite. Celebram essa união muitas vezes com sessões de mexe-mexe, um jogo de baralho também conhecido como troca-troca. Cabral é bom no manuseio das cartas, embora nem sempre faça questão de vencer.

Mas não há como contestar que o passatempo mais prazeroso de Sérgio Cabral na Costa Verde são as reuniões com outros veranistas do Portobello Resort – empresários, como Fernando Cavendish e Georges Sadala, e os amigos secretários de estado, entre outros. Essa agitação só não agrada a Adriana Ancelmo. Ela não dá atenção aos vizinhos e se refugia em sua suíte toda vez que nota a presença de um deles. Cabral conhece bem o temperamento da mulher e ainda assim, vez por outra, vai ao quarto chamá-la, mas dificilmente tem êxito.

Entre os proprietários e locatários de imóveis atraídos por Cabral para a República de Mangaratiba, há uma seleção de fiéis seguidores do governador. O nome mais prestigiado do time é, evidentemente, o de Fernando Cavendish – dono de um talento raro, capaz de driblar licitações sem dar chance aos adversários. Um pouco acima do peso ideal, Wilson Carlos é outro da linha de frente da equipe. Faz dupla com Sérgio Côrtes. A lista dos convocados reúne também Georges Sadala e o secretário de Urbanismo da prefeitura do Rio, Sérgio Dias. É o quinteto mágico de Cabral. Eles prezam, sobretudo, pelo entrosamento. Não é coincidência que esses cinco se projetem mais adiante como as estrelas da Farra dos Guardanapos.

Em encontros regulares com o grupo, ou parte dele, Sérgio Cabral define suas estratégias. Às vezes isso se dá após partidas de vôlei na quadra de grama do quintal de sua casa, em que os atletas se apresentam de sunga e sem camisa, com longos intervalos regados a copos de cerveja e de uísque, jatos de água na cabeça ou um mergulho no mar.

Quando o assunto é mais reservado, Sérgio Dias é sutilmente excluído da conversa. Ele é engenheiro, autor do projeto Rio Orla, que reorganizou as praias e criou as primeiras ciclovias da cidade nos anos 90, além de também assinar projetos de estádios de futebol.

Essas reuniões, em geral, são regadas a vinhos franceses e portugueses, que acompanham pizzas de bacon, calabresa e quatro queijos, preparadas no hotel que funciona no próprio condomínio ou em pizzarias delivery de Mangaratiba. Muitas vezes contam também com o reforço de Arthur Soares, o "Rei Arthur" – outro empresário veranista do Portobello, conhecido como o "melhor amigo" de vários governadores de estado.

***

Ao longo de 2009, Cabral se vê às turras com o ministro de Minas e Energia, Edison Lobão, por causa da discussão sobre a distribuição dos royalties do pré-sal. Publicamente, mantém a pose. Ele adota um discurso firme em defesa dos interesses do Rio e isso desgasta sua relação com a ministra da Casa Civil, Dilma Rousseff. Já Lobão acusa o governador de egoísta e desprovido de uma visão mais ampla do país. Diante de Lula, Cabral faz queixas do ministro e não esconde a irritação com Dilma, que conseguiu aprovar no Senado o projeto de divisão dos royalties sem sequer lhe dar um telefonema. Mais tarde, Cabral diria que agiu com rigor exagerado para neutralizar Anthony Garotinho, que, segundo ele, estaria disposto a utilizar aquela demanda do pré-sal para atacá-lo e fomentar suas ambições políticas.

No último fim de semana de 2009, num dia chuvoso, o governador está na varanda de sua mansão, em Mangaratiba, quando ouve o ronco do motor de um helicóptero sobrevoando o condomínio. Identifica um símbolo parecido com o da Força Aérea Brasileira na aeronave. Logo, deduz que Lula veio fazer uma visita surpresa, numa situação parecida com a que o presidente protagonizou em 25 de janeiro de 2008. Naquela vez, o presidente apareceu no Palácio Laranjeiras, sem avisar, para um almoço em comemoração antecipada ao aniversário do governador.

Cabral ajeita-se, pega a chave de um de seus carros e vai até o heliponto de Portobello. A chuva aumenta e vai ser impossível sair para pescar com o presidente. No rápido trajeto, tenta adivinhar o que significa a presença inesperada de Lula em Mangaratiba. Ao parar o veículo, vê três vultos debaixo de guarda-chuvas, aflitos com a ventania, tentando proteger as bagagens. Aciona a buzina. Eles correm ao seu encontro.

Logo que abre a porta, recebe um pito raivoso do visitante, que não o reconhece imediatamente:

– Seu irresponsável! Como é que você deixa a mim e a minha família esperando no meio deste dilúvio?

Naquele instante, Cabral está atônito. Não quer acreditar no que vê e ouve. O sujeito encharcado, com o cabelo desbotado e uma expressão hostil é cutucado pela esposa, pálida, quase sem voz. Ela tenta contornar o mal-entendido:

– Mas que gentileza, o governador nos recebendo pessoalmente!

Cabral não tem opção. Estica as mãos e cumprimenta Edison Lobão e suas duas acompanhantes – além da mulher, a neta do casal. Dali, os conduz até o hotel do condomínio, onde tinham reserva. Despedem-se com cerimônias. Lobão, que não estava entendendo nada, se embaraça e se esforça para ser gentil. Cabral tem acessos de riso quando relata o episódio a Lula.

O presidente e o governador se veem com alguma frequência na Costa Verde. Cabral chegou a dizer a Lula que Paris seria perfeita se margeada pelo litoral do Rio.

– Pense comigo, presidente. Eu acordo, vejo o mar da minha varanda, olho pra trás e lá está a Torre Eiffel. Não seria genial?

A sintonia fina com Lula credencia Cabral a ser apontado como alternativa para a vice-presidência na chapa de Dilma em 2010. Os rumores crescem na mesma proporção que a popularidade do político carioca. Uma ala do PT, capitaneada por Tarso Genro, do Rio Grande do Sul, defende a indicação de Cabral. No PMDB, há também correntes favoráveis a ele. Pelo sucesso de sua gestão até então, existe uma percepção entre grandes empresários interessados em ampliar seus investimentos na economia nacional de que Sérgio Cabral se projeta como futuro presidente do Brasil.

Ele vive em êxtase, colhendo frutos adocicados da repercussão da ocupação parcial das comunidades mais perigosas do estado. Com a criação das UPPs, as Unidades de Polícia Pacificadora, os territórios em que o tráfico de drogas parecia intocável registram acentuada redução nos índices de violência. Em setembro de 2009 já são quatro as unidades em funcionamento – a primeira delas, no Morro Dona Marta, foi instalada em 19 de dezembro de 2008.

O mesmo ocorre com as UPAs, inauguradas com palanque e discurso, em eventos políticos com ampla cobertura da mídia, e que também começam a repercutir além das fronteiras do Rio – outros estados vão adotá-las e o modelo será exportado para países da América do Sul, entre eles a Argentina.

No rastro da publicidade das UPAs destaca-se Sérgio Côrtes, com seu jaleco branco impecável e pose de grande gestor de saúde pública no país. Ele vai fazer dessas unidades sua plataforma para tentar um voo mais alto, no ministério da Saúde do governo Dilma Rousseff. Seu principal padrinho e lobista é o próprio Cabral, mas ela ainda tem alguma dúvida para o nome que ocupará a pasta.

José Gomes Temporão, o titular da Saúde nos últimos meses da gestão Lula, é uma opção. Ele é filho do dono do restaurante Mosteiro, um dos mais tradicionais do Centro do Rio.

– A empadinha de camarão de lá é uma coisa de louco – diz Lula a Dilma, em outubro de 2009, diante de outros ministros, no Palácio do Planalto, indicando sua preferência pela permanência de Temporão. Não consegue convencê-la. Mais tarde, de dieta, ela nomearia um quadro histórico do PT para o ministério: o médico Alexandre Padilha.

Vale ressaltar essa estratégia de Lula nas vezes em que quer palpitar em áreas que não estão sob seu controle. Se por exemplo ele é a favor de uma indicação, busca na memória algum aspecto positivo e paralelo do candidato, e expõe isso com a intenção de quebrar o ritmo de uma negociação ou mesmo de uma conversa informal. Ao falar da empadinha do pai de Temporão, Lula não estava jogando azeitona fora.

A campanha do Rio para receber os Jogos de 2016 já decolou faz tempo, e Cabral projeta investimentos maciços no estado. Claro que isso depende do voto dos delegados do Comitê Olímpico Internacional. Em 2 de outubro, em Copenhague, eles vão decidir se a América do Sul vai sediar pela primeira vez uma edição olímpica. A proximidade da Copa do Mundo de 2014, com o Rio escolhido para abrigar a cúpula da Federação Internacional de Futebol por um mês, também é mais um belo reforço para as pretensões do governo: há uma lista de obras milionárias na fila, incluindo a reforma do Maracanã – a terceira grande intervenção no estádio em 15 anos.

Somente nos seus dois primeiros anos de mandato, 2007 e 2008, Cabral conseguiu R$ 12 bilhões da União para obras no estado. Seu cacife político também pode ser contabilizado pelo número de ministros fluminenses no governo de Lula – no fim de 2008 eram seis: Saúde, Meio Ambiente, Cidades, Trabalho, Igualdade Racial e Política para as Mulheres. O namoro de Cabral com o governo federal tem tudo para acabar em casamento: Lula e Dilma querem fortalecê-lo, compensando em parte a oposição dos tucanos nos governos de Minas Gerais (Aécio Neves) e São Paulo (José Serra).

Em 2009, tudo é festa para o governador. No final do ano, seria apontado pela revista "Época" como um dos cem brasileiros mais influentes da temporada. Ele figuraria nessa relação pelo terceiro ano consecutivo, na categoria Líderes & Reformadores, numa escolha conjunta de leitores, editores da revista e especialistas dos respectivos segmentos.

Capítulo 8
DOIS PAIS

Em Paris, para a solenidade no Senado e a festa na Champs-Elysées, estão os pais do governador Sérgio Cabral, também hospedados no Le Bristol. Uma homenagem a quem lá atrás havia se desdobrado para que não lhe faltasse nada, a despeito de a família viver com um orçamento sempre apertado.

Na véspera do banquete, Cabral pai e dona Magaly passeiam no Palácio de Versalhes, acompanhados de um casal de amigos. Depois, fazem uma caminhada pela Avenue George V. Chegam à Place de l'Alma e seguem margeando o Sena, deixando para trás Quai d'Orsay e Quai Anatole France. Param para descansar num café do Boulevard Saint-Germain.

– Amanhã *(dia 14)* vamos aproveitar para fazer um brinde ao grande Ismael Silva, que completaria 104 anos – comenta Sérgio pai, que foi amigo e fã do sambista. Aliás, foi numa entrevista ao jornalista que Ismael criou a célebre expressão "bumbum paticumbum prugurundum", que até hoje simboliza a batida das escolas de samba.

Na volta, à noite, Magaly e o velho Cabral jantam com o filho e Adriana. Mais tarde, já num dos quartos do Le Bristol, o jornalista comenta com sua esposa que aquela realidade ali não lhes pertence. Acha graça, por exemplo, do excesso de zelo dos funcionários com os hóspedes. Repetiria isso no dia seguinte, num encontro casual com o presidente de honra da Fifa, João Havelange, durante o café da manhã:

– Daqui a pouco vão pegar a gente no colo. É muita cortesia. Basta que a gente saia por 15 minutos que já vem alguém e deixa uns bombons maravilhosos em cima da cama.

O velho cartola concorda:

– Vocês não fazem ideia de como é comigo. Eu, com 93 anos, sou tratado aqui no Le Bristol como um descendente direto da realeza.

Faltam ainda cinco anos para a Copa do Mundo e sete para os Jogos Olímpicos. Cabral e o Rio seguem de vento em popa. O chamego com Lula faz lembrar de um verso do "Soneto de fidelidade", de Vinicius de Moraes – "que seja infinito enquanto dure". Há ali interesses e ambições políticas que falam mais alto. Cabral quer mais dinheiro (em tese, para o estado) e Lula, alianças do PMDB com o PT. Somente em 2007 e 2008 os dois mantiveram 38 encontros registrados em agenda.

O governador gostava de lembrar do que era capaz de fazer para sair bem na foto com Lula. Numa visita ao Maracanã, em março de 2007, às vésperas do Pan-Americano, Cabral se postou como goleiro debaixo de uma das balizas e Lula se encarregou de cobrar um pênalti. Fez o gol com muita facilidade, o goleiro sequer se mexeu.

Ele não agradava o presidente apenas com conversas sobre futebol e churrascos, pescarias e carteados em Mangaratiba. No final de 2008 anunciou que batizaria um hospital no interior do estado com o nome da mãe de Lula. Isso se confirmaria com a inauguração, em 24 de junho de 2010, do Hospital Estadual de Traumatologia e Ortopedia Dona Lindu, em Paraíba do Sul.

A partir da escolha do Rio como sede dos Jogos Olímpicos, Lula e Cabral não passariam mais de dois dias sem se falar ao telefone. Diante disso, o governador sugere ao presidente que venha morar logo no Rio e lhe oferece o Palácio Laranjeiras.

– Sérgio, o PT e o PMDB já têm um ciúme danado da gente. Se eu me mudar pra tua cidade, aí o caldo entorna de vez – devolve o presidente.

Em matéria de ciúme, Lula tinha antecedentes. Provara do veneno logo após a eleição de 2006, quando Cabral vivia pra lá e pra cá na companhia de Aécio Neves. Os dois governadores iniciaram o mandato em janeiro de 2007 com viagem agendada à Colômbia para conhecer o programa de segurança do país. Antes, já tinham ido juntos aos Estados Unidos para um encontro com investidores estrangeiros. Para Lula, Aécio alimentava a parceria com Cabral com objetivos óbvios. O presidente, entretanto, tinha o antídoto – a máquina federal para adular o político do Rio.

Cabral e Aécio tornaram-se amigos nos anos 80, na campanha de Tancredo à presidência da república, em eleição indireta. A primeira mulher do governador carioca, Susana Neves, com quem morou num amplo apartamento na Lagoa, perto do Clube Piraquê, era sobrinha-neta do candidato. Em 2003, já governando Minas, Aécio entregou a comenda do estado ao então senador Sérgio Cabral.

Por mais de uma vez, em 2009, o vice-governador do

Rio, Luiz Fernando Pezão, indicara os rumos e o porquê da relação com Lula, comentando entre assessores que não havia a menor possibilidade de o PMDB do Rio não apoiar a candidatura de Dilma Rousseff em 2010:

– O Rio é do Lula. São R$ 4 bilhões em obras. Nem o *(José)* Serra nos perdoaria se a gente deixasse a Dilma.

Aquilo era apenas o começo. Pela primeira vez, desde a fundação de Brasília, o governo federal mantém relação tão alinhada ao Rio e vice-versa. Aécio Neves, no governo de Minas e a quem Cabral dispensa tratamento fraterno, faz chacota daquele derramamento de dinheiro federal na Cidade Maravilhosa. Num dos muitos encontros entre os dois *brothers*, no Rio – também se viam muito em Paris e em Brasília –, o governador faz um pedido:

– Se um dia você for presidente, Aécio, eu só quero uma coisa: que me nomeie embaixador na França.

* * *

Na noite de domingo 22 de fevereiro de 2009, há um corre-corre em torno do Sambódromo, no Rio. É um arrastão de apressadinhos. O desfile já começou – desta vez sem a Em Cima da Hora – e tem muita gente descendo das abarrotadas estações de metrô (Praça Onze e Central), com o ingresso nas mãos. Ninguém quer perder a festa.

No camarote de Sérgio Cabral, Lula come um salmão marinado com iogurte grego. O presidente está ali empolgadíssimo, e na apresentação da Beija-Flor até puxa um trenzinho com os convidados. Entretido com seu copo de uísque, o governador não entra no vagão, apenas se diverte diante do convidado especialíssimo com o chapéu panamá nas mãos, convocando os ministros para formar fila e não sair do trilho. Nilcéa Freire, da Secretaria Especial de Políticas para as Mulheres, vai na aba do chefe e é a primeira a aderir.

Ao passar por Adriana, Lula desmancha o penteado da primeira-dama, que sorri, por pura educação. Dona Marisa Letícia reprova o marido. Aliás, para que nada prejudique a afinidade entre Brasília e Rio, Lula conta com Marisa para dar atenção a Adriana – ela prestigia alguns eventos sociais da ONG RioSolidário, presidida pela esposa de Cabral.

Depois de assistir à festa na Marquês de Sapucaí pela primeira vez, Lula volta a Brasília às 7 horas da manhã de terça (24 de fevereiro). Cabral e Adriana acompanham o casal, de helicóptero, até a pista do Galeão. Difícil identificar de quem é a pior olheira.

Todos estão esgotados. Despedem-se com beijos e abraços. Lula assobia versos de "Cidade Maravilhosa". Antes de vê-los embarcar no jato presidencial, Cabral e Adriana puxam "Samba do avião", de Tom Jobim, com ênfase nos versos "Minha alma canta / Vejo o Rio de Janeiro". Roucos, eles desafinam.

Um ano depois, Cabral comemoraria cifras produzidas a partir da relação com Lula. Somente em 2010, o Rio receberia cerca de US$ 18 bilhões de investimentos nacionais e estrangeiros, quase 80% a mais do que São Paulo e Minas. Claro, o maior volume se devia às obras da Copa do Mundo e da Olimpíada. Mais tarde, porém, se descobriria que uma parte expressiva desse total pegaria um atalho e fugiria pela contramão.

Já no final de 2013, Lula e Cabral não dividiriam a mesma peça de picanha e a alma deles não cantaria mais no tom de três anos antes. O presidente não embarcaria na candidatura de Luiz Fernando Pezão à sucessão de Cabral. Optaria por Lindbergh Farias, do PT, e isso estremeceria a relação entre eles. Ficaria perdida no passado uma declaração de amor de Cabral a Lula, dada em 2009:

– Eu amo o Lula como um filho ama o pai.

Capítulo 9
UM CONVIDADO DIFÍCIL

Com oito meses de governo, o prefeito Eduardo Paes não é uma figura popular fora do Rio, embora já tenha até trabalhado como figurante de novelas da TV Globo nos anos 80. Muitas vezes, mantém um ar mais reservado. Os brasileiros, que desconhecem suas aparições anônimas na teledramaturgia nacional, apenas o identificam pelo sorriso de moço simpático.

Entre empresários, porém, Eduardo Paes é conhecido como "Nervosinho" e, nessa noite de 14 de setembro de 2009, parece fazer jus ao apelido. Definitivamente, o prefeito não queria estar em Paris. Mas não conseguiu dizer não ao todo poderoso comandante da política fluminense. Passou boa parte da noite tentando disfarçar sua contrariedade com cumprimentos protocolares e uma expressão menos sisuda.

* * *

Carioca da Zona Sul, nascido e criado no Jardim Botânico, Paes foi o vereador mais votado na cidade em 1996

(82 mil votos), elegeu-se deputado federal em 1998 e foi reeleito em 2002, projetando-se como o menino dos olhos de Sérgio Cabral. A proximidade entre eles aumentou a partir de 2006, quando Paes apoiou Cabral no segundo turno da disputa para a sucessão de Rosinha Matheus no governo do Rio – contra a juíza Denise Frossard.

No ano seguinte, já filiado ao PMDB, receberia como prêmio a Secretaria de Esporte e Turismo e ganharia visibilidade como uma espécie de porta-voz dos Jogos Pan-Americanos de 2007, apesar de o evento se conectar mais com a cidade do que com o estado. Fez isso com muita vivacidade e dava a largada para uma corrida curta, sem barreiras, que o levaria à prefeitura em 2008.

De olho no salto triplo (vereador, deputado federal e prefeito), espelha-se agora em Cabral e também passa a cortejar o governo federal. Mas há ainda um desconforto: sua atuação na Câmara federal foi marcada por denunciar corrupção nos primeiros anos do governo do PT, algo que poderia atrapalhar planos futuros seus e de Cabral.

Aliás, ele só se tornaria candidato a prefeito em 2008, quando se desculpou com Lula e dona Marisa – Paes acusara Lulinha (Fábio Luiz Lula da Silva), filho do casal, de enriquecimento ilícito. Chegou a redigir uma carta a dona Marisa. No papel de carteiro, Lula foi quem a entregou.

Apresentando-se como carioca da gema, sempre de bom humor e muito falante, Eduardo Paes ganhou viço com a adesão de Lula e derrotou Fernando Gabeira (PV), no segundo turno, com uma diferença pequena de votos: 50,83% a 49,17%. Na primeira entrevista, reconheceu quem fez o gol da vitória:

– O apoio do presidente Lula foi fundamental.

O novo prefeito começa o mandato com todo o gás e segue fielmente Cabral, antevendo uma série de investimentos para a cidade. O casal 20 da política fluminense passa a dividir mesas nos melhores restaurantes da cidade: Antiquarius (o preferido do governador), Gero, Fasano, D'Amici, Cipriani. Para a maioria desses encontros levam as esposas e voltam para casa, de madrugada, achando graça em tudo pelo caminho.

* * *

Cabral quer mostrar aos franceses que é o rei do relacionamento no mundo político. Todos ali sabem de sua proximidade com o presidente e ele pretende deixar claro também que com o prefeito não é diferente. Naquele momento, a popularidade de Paes é crescente e ele se engaja de corpo e alma na campanha do Rio para sediar os Jogos de 2016. Assim, sua presença na mansão da cortesã francesa é imprescindível. O prefeito é peça-chave no jogo de Cabral e está no topo da lista de convidados, com a esposa, Cristine Paes.

Mas, ao receber o convite, ele faz corpo mole, se recusa a ir. Alega uma agenda cheia, com vários compromissos. Antenado, já sabe que vozes indiscretas do Palácio Guanabara tratam aquela viagem a Paris como um carnaval fora de época, com muito dinheiro público. Recolhe-se e comunica a Cabral a decisão de ficar em casa. O governador, irritado, exige que o prefeito esteja na homenagem. Diz que a celebração é pelo Rio, coisa e tal.

Eduardo Paes sabe que não é bem assim. A entrega da medalha da Legião de Honra e o banquete são eventos personalizados, de poder e prestígio. Na antevéspera da festança em Paris, Cabral chega a comentar que não entende a resistência de Paes e decide agir nos bastidores para ter a presença dele em 14 de setembro.

Numa caminhada matinal com Adriana, pelo Jardim de Luxemburgo, os dois especulam sobre os motivos do desdém do prefeito. À beira do lago em que crianças põem seus barquinhos movidos a pilha para travessias curtas, Cabral se esforça, em vão, para lembrar de algo que pudesse justificar o comportamento de Paes:

— Será que eu falei alguma coisa que não devia? Alguma brincadeira que o desagradou?

Notando o incômodo do marido, Adriana procura distraí-lo:

— O Eduardo quer fazer charme, não conhece o tipo? Não esquenta a cabeça. Querido, olha só essa gente: como esse povo gosta de fazer piquenique aqui, né? Jesus!

Horas depois, já de volta do passeio, o governador se encontra num bistrô da Champs-Elysées com seus amigos, secretários de estado, e pede que o ajudem a demover Paes. Aciona também Cavendish para a empreitada. Um dos que aderem à iniciativa é o secretário de Urbanismo de Paes, Sérgio Dias, que ouve um apelo de Cabral:

— Liga pra ele, você que é mais íntimo, e diz que eu não vou perdoá-lo se ele não vier. Me faz esse favor.

Durante um dia inteiro são vários telefonemas para Eduardo Paes. Ele dá as mesmas desculpas e muda logo de assunto. Sob pressão, com tanta insistência do governador, acaba cedendo, mas esconde o jogo. Em seu gabinete, no Palácio da Cidade, conversa com o secretário da Casa Civil, Pedro Paulo, sobre a "operação" patrocinada por Sérgio Cabral para que viaje até Paris:

– Já falei com a Cristine, eu vou, senão o homem lá vai ter um troço. Ele está enlouquecido atrás de mim.

Providencia então passagens em cima da hora e convoca Pedro Paulo e a esposa dele, Alexandra Marcondes. Os quatro seguem no dia 13 para a capital francesa. Vão colorir a tarde-noite de Sérgio Cabral, no dia seguinte, na cerimônia de entrega da Legião de Honra e, depois, no banquete.

Ao ver Eduardo Paes na sede do Senado francês, onde recebia a comenda, Cabral fica eufórico. Dá um soco no ar, num sinal de vitória. Adriana celebra a reação do marido com um beijo. Diante da nata de empresários com negócios no Rio e na França, o governador quer Paes como o chefe da antessala do estado.

Nos anos seguintes, no entanto, nem tudo seria harmonia no convívio dos dois. Eles teriam desentendimentos, intercalados e abafados. Com perfil mais de gestor, Eduardo Paes tenta se desvincular um pouco de Cabral – um ser essencialmente político.

Aliados do governador o alertam de que Paes está se tornando independente demais. Já o prefeito e seus auxiliares diretos acham que é preciso frear a gula de Cabral. Isso gera desgastes e eles chegam ao extremo de se evitar. A retomada, às vezes, vem a conta-gotas. Essas situações, em geral, seriam atenuadas pelo tempo e pela pressa de deixar o Rio em condições de receber a Copa do Mundo de 2014 e a Olimpíada, em 2016. Hábeis em jogadas de marketing, principalmente quando um reverencia as qualidades do outro, os dois procurariam se esforçar para minimizar as rusgas. Há prioridades e é necessário se debruçar sobre elas.

Em 6 de dezembro de 2009, menos de três meses depois da viagem a Paris, ao beijar as mãos de Cabral na inauguração de uma UPA na Vila Kennedy, Zona Oeste da cidade, Paes sabia que a foto seria destaque na imprensa. O gesto soou como calculado, pelo menos para quem estava por perto. Um ano depois, o prefeito prepararia outra surpresa: enviaria mensagem ao legislativo municipal concedendo o título de Cidadão Carioca ao governador – pelo combate à violência com a criação das UPPs.

Porém, nada é mais emblemático nessa relação do que um episódio narrado por Jorge Bastos Moreno, em sua coluna de 22 de maio de 2010, no jornal "O Globo":

"Dia desses, enquanto aguardava pelo governador, Paes explicava como consegue identificar um falso amigo:

– Meus amigos verdadeiros, aqueles que têm realmente intimidade comigo, só me chamam de Duda. Quando o cara, para demonstrar intimidade, me chama de Dudu, podem crer, é pura falsidade.

Nisso entra Cabral e de braços abertos para Paes:

– Dudu, querido! Desculpe o atraso!"

Em outros momentos, Sérgio Cabral trata o aliado com um apelido diferente. Chama o prefeito de Raul Seixas e explica a quem não entende a deferência:

– Ele nasceu há dez mil anos atrás e não há nada neste mundo que ele não saiba demais.

* * *

Duda, Dudu e Raul Seixas são o mesmo personagem e o último figura na coleção autoral de Sérgio Cabral. O governador gosta de distribuir apelidos e de se fazer entender por uma série de códigos. Em dezembro de 2008, uma parte da bancada fluminense na Câmara dos Deputados já conhecia a senha dele para aprovar ou não uma indicação política. Sempre que recebia um visitante recomendado por alguém com influência no seu governo, Cabral mandava vir ao gabinete o secretário do setor. Se ele apresentasse o pedinte com a frase "este é craque", já estava dado o recado: o candidato não deveria ser aproveitado.

Por dois anos, de 2008 a 2010, Cabral azucrina o ministro do Turismo, Luiz Barretto Filho, referindo-se a ele como Fidel Castro, por considerá-lo prolixo nos discursos:

– Achei o Fidel bem mais remoçado – comentava com assessores, assim que saía de uma reunião com o ministro.

Seus alvos também são jornalistas. Ancelmo Gois, por exemplo, é o Pelé. Lauro Jardim recebe a alcunha de Kaká. Entre parlamentares, Rodrigo Maia é o Pescocinho. Não dá detalhes sobre essas invencionices, embora, no caso do deputado federal, filho de Cesar Maia, ela seja autoexplicativa.

Nessa sua lista há espaço para duas figuras que estão presentes à festança: seu amigo Georges Sadala é o Salada, Saladino ou simplesmente Gê. E Wilson Carlos é o WC.

Outros que não fogem ao cerco de Cabral são o empresário Marco Antônio de Luca, chamado de De Louco, e o secretário da Casa Civil, Régis Fichtner, o Alemão. Mas Cabral é vulnerável e há os que devolvem o gesto, à distância. No primeiro escalão do estado, alguns o identificam como Gov ou Hugo – de "o governador". E se o túnel do tempo for acionado, projetando o garoto do subúrbio do Rio, uma expressão traz de volta o Boquinha Nervosa – como os mais velhos o chamavam por comer muito ou falar demais.

Nessa profusão de códigos, até a comunicação com Adriana tem as suas artimanhas. Em situações mais informais, quando uma pessoa inconveniente se aproxima, ele dá o alarme: "Querida, Alzira está chegando." Cabral pede apenas que não o rotulem de ladrão. Parece traumatizado com uma brincadeira de longa data, quando ainda exercia mandato de deputado estadual. Numa pelada com os humoristas do "Casseta & Planeta", em outubro de 2001, sentindo-se perseguido, soltou vários palavrões. Isso porque toda vez que pegava na bola, ouvia o grito dos engraçadinhos: "Olha o ladrão! Olha o ladrão!". O alerta era por causa da aproximação de um adversário, que tentava "roubar" a bola de seus pés, como esclareceu Ancelmo Gois na edição do dia 24 daquele mês e ano, em "O Globo".

Capítulo 10
OLIMPO CARIOCA

O currículo de desportista, somado ao de advogado, assegurou a Carlos Arthur Nuzman um exitoso caminho no mundo da cartolagem – sem se afastar dos vícios que pontuam tal ofício no Brasil e em outros países. Ali, na Champs-Elysées, o dirigente se policia para não chamar a atenção; o alvo das homenagens é Sérgio Cabral. O jantar ainda nem começou, mas Nuzman é abordado até mesmo por autoridades francesas que sabem de seu papel na disputa pela edição olímpica na América do Sul: estão em busca de novidades sobre a eleição no COI, dali a pouco mais de duas semanas, em 2 de outubro. Contido, responde com evasivas e às vezes deixa no ar um pouco de mistério sobre as articulações da candidatura do Rio a sede da Olimpíada de 2016.

Mede as palavras da mesma forma como é cauteloso com o consumo de bebidas. Por enquanto, apenas uma taça de champanhe Moët & Chandon. Sabe que não pode dar um passo em falso. Nessa noite de 14 de setembro, em Paris, nada pode arranhar sua imagem de *éminence grise* da campanha carioca. Durante toda a noite, Cabral mantém o discurso utilizado ao longo dos últimos meses – "a vitória é do Rio". Mas se alguém procura se aprofundar sobre o tema, passa a bola:

– Cadê o Nuzman? Pergunta pra ele. A Cesar o que é de Cesar – despista.

A pressão é grande. Mas Nuzman sabe se impor. Sorri e diz que está confiante. Centralizador, ele não gosta de dividir informações ou abrir espaço para a participação de terceiros na hora de tomar decisões importantes e, talvez definitivas, que digam respeito às chances do Brasil. Relata o que acha mais pertinente apenas a Sérgio Cabral. Trabalha incessantemente pela edição dos Jogos no Rio e conta com a ajuda de vários profissionais. Eles levantam dados, pesquisam, montam workshops, seminários, entrevistas e cuidam de detalhes das atividades previstas para os últimos dias de campanha.

Tudo está bem encaminhado e o otimismo é crescente para a votação em Copenhague. É lá, na Dinamarca, que o presidente do Comitê Olímpico Internacional, Jacques Rogge, vai anunciar, em duas semanas e meia, a cidade-sede da Olimpíada de 2016. Lula já garantiu presença na assembleia. Barack Obama deve mandar a primeira-dama, Michelle, para reforçar o lobby pró-Chicago. De Madri, o rei Juan Carlos sinaliza que pretende defender pessoalmente a candidatura da capital espanhola. Espera-se ainda a presença do primeiro-ministro japonês Yukio Hatoyama para fazer o mesmo em nome de Tóquio.

A disputa nos bastidores é grande e oculta. Presidente do COB desde 1995, Nuzman tem aliados que sobressaem mundo afora, como Lula e Pelé. Essa engenharia da candidatura do Rio tem a colaboração de outra figura central. Quem conhece João Havelange sabe que, mesmo aos 93 anos, ele é imbatível em disputas dessa magnitude, um grande trunfo nas mãos de Nuzman e Cabral.

Havelange dirigiu a Fifa de 1974 a 1998, organizou seis Copas do Mundo, expandiu o futebol pela Ásia e África, e criou em laboratório aquele que seria por duas décadas o dirigente esportivo mais poderoso do país, Ricardo Teixeira, presidente da Confederação Brasileira de Futebol de 1989 a 2012. Nas eleições da Fifa (74) e da CBF (89), Havelange se especializou em regras que ensinam como chegar ao poder. A primeira e principal delas: manter conversas estritamente reservadas, sem áudio e imagens, com quem vota.

Desde que a candidatura Rio 2016 foi lançada, João Havelange recebeu sinal verde de seu amigo Nuzman para se movimentar. Ele tem disposição de sobra para agendar encontros no exterior e no seu escritório, no Centro do Rio. Envia cartas para cada um dos eleitores e conversa por telefone com a maioria deles. Dá ênfase aos delegados de países emergentes da Ásia, da África e do Caribe. Há muitos votos soltos por ali.

Nuzman também faz isso, e com mais frequência. São dezenas de viagens longas a serviço da candidatura. Os dois são membros do comitê executivo do COI, mas não podem votar em Copenhague porque o Rio está na briga. Nesse setembro de 2009, em Paris, Havelange não muda seus hábitos. Acorda às 5 horas, como de praxe, e nada até as 6h30 na piscina térmica do Hotel Le Bristol. Veio à capital francesa especialmente para aplaudir a entrega da Legião de Honra a Cabral.

Mais cedo, o governador dedicou-lhe atenção especial em rápida passagem pelo Hotel Prince de Galles, onde os coordenadores do Comitê Rio 2016 faziam uma reunião técnica. Aliás, Cabral sempre o cumprimenta com um beijo no rosto ou na testa. Foi assim de novo.

– Confio no seu entusiasmo e na sua percepção de vitória – disse-lhe Cabral.

– Não há sinal de chuva – respondeu o cartola, que mais tarde se afastaria definitivamente do esporte por envolvimento em escândalos de corrupção com uma empresa de marketing da Suíça, a International Sport and Leisure.

O rápido diálogo se dá ao lado de Nuzman e do diretor de marketing da Rio 2016, Leonardo Gryner, que atualizam alguns dados com a ajuda de assistentes. Nesses dias de agitação, insônia e incerteza, o presidente do COB leva em sua pasta cápsulas de tranquilizantes e tenta ser discreto quando, duas ou três vezes por dia, abre o porta-comprimidos. Distrai-se apenas com o bom humor de Sérgio Cabral:

– Nuzman, vou mandar botar três estátuas na entrada do Maracanã. Uma sua, outra do presidente Lula, e uma terceira do doutor Havelange – diz o governador, com pose de vencedor.

Para o presidente do COB, as chances de vitória são realmente grandes, mas ainda há muito trabalho. Já Cabral flutua com o rei na barriga. Em entrevistas e no contato direto com delegados e dirigentes do COI, Nuzman enfatiza que o mundo do esporte dispõe de uma oportunidade histórica "para inspirar com os valores olímpicos" 65 milhões de jovens do Brasil e outros 115 milhões espalhados pela América do Sul.

Destaca, entre outras vantagens da vitória brasileira, o compromisso das autoridades em efetivar um plano de sustentabilidade no Rio, que englobaria intervenções para a conservação das águas. As lagoas da cidade agonizam com a poluição, tragédia ambiental que se expande pela Baía de Guanabara, onde geladeiras, fogões, máquinas de lavar e tudo mais que se encontra nas liquidações das Casas Bahia dividem espaço com o que restou dos solitários botos-cinza.

Conferindo tabelas, gráficos e outros papéis ao lado de uma impressora, e de um painel para exibição de vídeos, ali, numa sala ampla do Hotel Prince de Galles, Sérgio Cabral absorve aquela atmosfera positiva. Está à vontade, apoiado numa mesa de trabalho. Naquele instante, se afasta um pouco do grupo para atender a um telefonema de Lula. Quem está mais próximo ouve apenas a saudação:

– Meu Barack Obama tropical, muito bom dia!

Lula quer saber das novidades e o parabeniza pela comenda que receberá horas mais tarde.

– O presidente está animadíssimo, mas nos pede humildade – comenta Cabral, minutos depois, como que levando um recado a Nuzman, Gryner e companhia.

O último relatório do COI, em 2 de setembro, havia exaltado a qualidade do dossiê apresentado pelo Rio – o documento é fruto de um trabalho exaustivo de quase dois anos. Houve também elogios às garantias financeiras dadas pelas três esferas de governo. Críticas, somente à infraestrutura da cidade – sistema de transportes ruim e rede hoteleira insuficiente.

Para tentar pela quarta vez sediar os Jogos, o orçamento do país é gigantesco: R$ 25,9 bilhões. Há, porém, um antecedente pouco animador para quem é hipertenso e sofre com o desperdício de dinheiro público. A previsão inicial de gastos com os Jogos Pan-Americanos do Rio, em 2007, era de R$ 414 milhões. Semanas depois do evento, a conta já estava em R$ 3,7 bilhões, valores custeados pelos três níveis de governo. Ou, em outras palavras, pelo cidadão brasileiro.

Nas outras investidas olímpicas, o Brasil acabaria eliminado logo nos primeiros cortes do COI. Seria assim com Brasília em 2000 e com o Rio de Janeiro em 2004 e 2012.

A manhã avança e o governador tem outros compromissos. Despede-se de todos, um a um. Antes, provoca Nuzman:

– Vê se não me aparece no jantar com aquela gravatinha colorida, listrada. É feia demais. Parece uma jiboia arco-íris.

Os dois riem alto. Cabral refere-se à gravata verde, amarela, azul e branca – e cafona – usada já faz dois anos por toda a cúpula do Comitê Rio 2016 em eventos oficiais. Superstição que seria reeditada na tarde do resultado, em 2 de outubro, pelo prefeito Eduardo Paes, o próprio Cabral e o presidente Lula.

Mas agora, no palacete da Champs-Elysées, Nuzman está com uma gravata sóbria e bebe socialmente. É um homem que preza pela fidalguia. Diverte-se numa conversa amistosa com Paes, com quem combina detalhes sobre a festa programada para 2 de outubro, em frente ao Copacabana Palace.

– Se nós ganharmos, Nuzman, vai ser um réveillon antecipado.

Capítulo 11
A PARIS DE CABRAL

Em 1271, Marco Polo saiu de Veneza para dar um pulinho na Ásia. Visitou vários países, conheceu mercadores, trocou experiências. Com os portos fechados, só retornou em 1295. Uma viagem de 24 anos, desbravadora. Muita gente se inspirou nele. Cabral, por exemplo. A princípio, em busca de relações comerciais sólidas, pôs-se a caminho de aventuras de consequências imprevisíveis. Seu primeiro desvio foi de rota. Depois, ignorou a população local, explorou cada metro quadrado de terrenos com vista para o mar e despachou um porta-voz para contar tudo ao chefe.

Daquele período de 1500 até os anos 2000, homens do mar, como o citado acima, e Pedro Álvares Cabral deram vez a mochileiros, um deles, Sérgio Cabral, que em 1991 presidia a Federação Brasileira dos Albergues da Juventude. A entidade estimulava viagens para todos os cantos do mundo com dicas de descontos em hospedagem e contava com 17 mil associados só no Rio. A vocação de viajante de Cabral, o governador, vinha de muitos anos.

Isso talvez explique, em parte, esse seu fascínio por

aviões. Desde que tomou posse no governo do estado, em janeiro de 2007, ocupou-se quase que uma vez por mês com viagens internacionais. Foi assim pelo menos até setembro de 2009, quando já tinha passado por 15 países, em mais de duas dezenas de missões oficiais. Somente em 2007 esteve em Portugal, França, Colômbia, Estados Unidos, Argentina, Itália e Suíça. No ano seguinte, voltou à Suíça e visitou ainda Japão, Grécia, China, Turquia, Coréia do Sul, Inglaterra, Alemanha e, claro, França novamente.

Em 2009, até 14 de setembro, dia da sua consagração no Senado francês e do beija-mão na mansão da Champs-Elysées, ele desembarcara algumas vezes na Suíça e ainda nos Estados Unidos, na Inglaterra, em Cingapura, na China e na Alemanha. Considerando-se as quatro viagens de lazer com sua família, também para fora – uma delas na Ilha de Saint Barth, no Caribe, um dos lugares mais caros do mundo –, Cabral dormiu inúmeras noites bem acima das nuvens. Tantas viagens assim, segundo ele, tinham uma explicação – a busca de investidores estrangeiros para a Cidade e o Estado Maravilhosos.

Isso chama a atenção da imprensa e quem mais explora o fato é o jornalista Jorge Bastos Moreno. Por 21 anos – de julho de 1996 a junho de 2017 –, ele manteve uma coluna semanal em "O Globo", em que revelava os bastidores da política com um estilo finíssimo e contundente, no qual embalava informação em bom humor e ironia. Fazia isso com um raro talento. A percepção de que o governador vivia mais tempo fora do Rio resulta em mais de 50 notas publicadas entre 2007 e 2014.

Após o carnaval de 2009, por exemplo, Cabral chegou à Quarta-Feira de Cinzas gripado. E Moreno comentou: "Um aéreo vírus deixou Sérgio Cabral de cama". Em outra nota, Cabral é citado como um dos três milhões de brasileiros que vivem no exterior. O jornalista chega até a propor a criação de uma empresa, a Aero Cabral, para deleite exclusivo do viajante número 1 do Rio. As publicações, aos sábados, contam com um leitor curioso e um tanto ansioso – o próprio governador, sempre na expectativa de uma nova e certeira estocada de Moreno.

Em geral, ele digere bem as notinhas. Até mesmo quando diagnosticado pelo colunista com "síndrome de abstinência aérea" por passar um fim de semana em Araçatuba, interior de São Paulo, e não em Paris. Já na eleição de outubro de 2008, Moreno revela que seu personagem não vai poder votar "porque está em trânsito". Mais adiante, ele graceja com o principal destino do governador na Europa: "Sérgio Cabral é pé no chão. Só viaja o *nécessaire*".

Em pelo menos dois momentos, essas menções são rebatidas pela mãe do governador, Magaly Cabral. Ela não vê graça na insistência com que o jornalista registra cada embarque do filho. Considera isso uma perseguição. Num deles, Magaly tenta ser direta:

– Meu filho vai ao exterior buscar divisas. Mas é difícil colocar isso na cabeça de um certo alguém.

No dia seguinte à escolha do Rio como sede olímpica, Moreno faz um *mea culpa*. É como se estivesse enviando uma carta para a mãe de seu alvo preferido:

– Magaly Cabral tem razão. A vitória do Rio serve também para calar a boca desses colunistas atrasados que sempre criticaram as viagens de seu filho pelo mundo. Serginho, ela me diz, viaja para trazer divisas.

Até Sérgio pai tenta convencer o jornalista a amaciar

suas notas sobre as viagens do filho. Mas a que é publicada em 28 de agosto de 2010 tem um final incomum. "Cabral, pai, me pede, todo educado, para eu pegar mais leve com o filho governador. Horas depois encontro com o Cabral Filho, que pergunta se estou gostando do Rio. Eu: 'Estou pensando em me mudar para cá'. E ele: 'Eu também'."

Cabral não perdia a piada. Uma vez ligou num sábado para Moreno.

– Querido, você não vai acreditar onde estou!

– Claro que sei – respondeu Moreno. – Você está em Paris.

– Não, Moreno, eu estou no Rio!

– Não acredito!

– Nem eu – reagiu Cabral, às gargalhadas, encerrando o breve telefonema.

Capítulo 12
VIVE LA FRANCE!

Há um fato comum em todas as viagens. Cabral se hospeda nos melhores hotéis do mundo e só frequenta restaurantes renomados – os de 3 estrelas do "Guia Michelin". Conta com serviços exclusivos de transporte em automóveis de luxo. Muitas dessas idas e vindas são acompanhadas por empresários brasileiros e alguns de seus secretários, além de assessores. Não é raro quando, em horários mais folgados, o governador reúne todos da comitiva, informalmente, numa mesa de restaurante ou de um bistrô aconchegante, e ocupa a cabeceira.

Num fim de tarde de fevereiro de 2010, Cabral caminhava pela Praça Mayor, em Madri, com alguns de seus seguidores, entre os quais o secretário de Fazenda, Joaquim Levy, e deputados federais do Rio. Havia acabado de fazer uma palestra para empresários espanhóis. Num encontro casual, esbarrou com a equipe que produzia os vídeos de seus eventos oficiais. Cabral convidou todos para um restaurante ali mesmo:

– É só pra um bate-papo. Coisa rápida, por minha conta.

O governador pediu várias garrafas de Dom Perignon, uma atrás da outra. O champanhe produzido pela Moët et Chandon é um dos mais caros do mundo. Houve no grupo um certo constrangimento com a extravagância. Mas alguns convidados não resistiram aos efeitos da segunda garrafa. E o que era para ser um rápido brinde virou um encontro de cerca de três horas, cuja conta, só de bebidas, beirou os 10 mil euros.

Excentricidades desta natureza faziam parte das viagens de Cabral. Nesse sentido, ele apresentava um forte viés socialista. Sua equipe sempre foi muito bem tratada dentro e fora do país – com o dinheiro público, é claro. Os gastos com diárias de hotel e alimentação dos assessores no exterior aumentariam de R$ 633 mil, em 2007, para R$ 3,2 milhões, em 2011.

Nas viagens à França, Cabral escolhe os restaurantes a partir de uma lista restrita, sempre com o aval de Adriana. Adoram o L'Arpège, onde são íntimos do chef Alain Passard. O forte ali são os pratos com vegetais e legumes – comida mais leve, como prefere a primeira-dama. No cardápio não há carne vermelha, só peixes. Um jantar para duas pessoas, com um bom vinho e um risoto de legumes gratinados, não sai por menos de 800 euros, uma pechincha para os padrões gastronômicos e etílicos do casal. De vez em quando, reservam mesa no Astrance, de comida francesa contemporânea. Do mesmo modo, reverenciam o chef de lá, Pascal Barbot, igualmente solícito e atencioso.

Eles sempre associam o restaurante à intimidade com o chef. Não gostam de parecer estranhos em ambientes exclusivos, embora nada tenham contra a exibição de novorriquismo, como as joias que ora ostentam e as próprias escolhas no cardápio. Na capital francesa eles costumam frequentar também o Pierre Gagnaire, o Ledoyen e o Passage 53, restaurantes igualmente de primeiríssima linha.

É de praxe o governador pedir a carta de vinhos assim que se acomoda à mesa. Dá preferência aos franceses. Mas não é intransigente. Em outras capitais da Europa, o sistema é o mesmo. Cabral sabe de antemão onde fazer as refeições, embora não rejeite indicações. Em Roma, por exemplo, gosta do Marzapane, de comida italiana tradicional. Em Barcelona, circula pela alta gastronomia com naturalidade e pode ser visto no Pakta, de culinária oriental. Em Londres, divide-se entre The Ledbury e o francês Hedone.

Adriana costuma dar um voto de confiança aos restaurantes locais. Pelo menos na Europa.

– Não faz sentido a gente ir à lua e pedir um filé à parmegiana – disse ela, num jantar com Cabral e amigos em 2009, em Mônaco, sem, no entanto, especificar qual seria o prato típico servido no satélite natural da Terra.

Quando estão em um país vizinho, exceto na Argentina, ou em viagem à Ásia, o que é mais esporádico, os dois ignoram as regras de Adriana e recorrem à cozinha italiana. Isso, evidentemente, quando conseguem fugir do roteiro traçado nos eventos oficiais.

Apesar do apreço por outras culturas, nada, porém, lhes é tão fascinante como a França. Vivem num triângulo de luxo: o apartamento no Leblon, a casa de veraneio em Mangaratiba e uma das suítes do Le Bristol, em Paris. O país de Arthur Rimbaud, Maurice Ravel e Louis Pasteur adotava desde 1960 uma classificação própria para seus hotéis, de "0 a 4 estrelas luxo". Não seguia a referência internacional, com os tradicionais padrões de 1 a 5 estrelas. Só passou a fazer isso a partir de 2010 e com uma peculiaridade. Criou uma categoria extra, o Palace – hotel de cinco estrelas com excelência à *la française*.

Primeiro, e um dos poucos, a ser contemplado nessa lista, o Le Bristol é o terceiro lar do governador – ao longo dos anos, ele e Adriana foram se tornando *habitués* do hotel. Além de avaliado (e aprovado) em 240 itens por uma comissão de notáveis nomeada pelo Ministério do Turismo francês – personalidades do mundo das letras, da cultura, da mídia e dos negócios –, o hotel-palace deve apresentar algo mais, com um alto valor subjetivo. Os quartos, por exemplo, têm que propiciar uma atmosfera de encantamento, como se o hóspede estivesse no cenário de uma obra literária.

No final de 2016, dos 23 hotéis-palaces da França, dez estavam em Paris e, destes, sete pertenciam a asiáticos – chineses, árabes e o sultão de Brunei. Nem todo 5 estrelas desprovido do selo de Palace está necessariamente no segundo escalão do luxo francês. Há as redes que não se interessam pelo título. Temem que isso possa intimidar os hóspedes que viajam a negócios. A diária mais em conta para um casal num dos hotéis-palaces varia entre 1 mil e 3 mil euros.

No Le Bristol, o jardim de 1.200 metros quadrados é repleto de flores campestres e há peças de arte espalhadas por todos os lados, fruto de uma parceria com galerias da cidade. No terraço, a piscina coberta com paredes de vidro é um dos pontos altos do hotel – nos dois sentidos. Com uma arquitetura que leva o hóspede-banhista a se sentir a bordo de um navio do século XVIII, oferece uma vista deslumbrante da Torre Eiffel, do bairro de Montmartre e das luzes e telhados da cidade. Cabral e Adriana se rendem uma ou outra vez ao restaurante do próprio hotel, o Epicure, também de cotação máxima no Guia Michelin.

No dia a dia de Paris, se o marido sai para reuniões mais formais, ela se entrega aos cuidados do Spa Le Bristol para sessões de relaxamento. Passam pouco tempo na suíte, decorada com móveis de estilo Luís XV ou Luís XVI. Localizado numa região central da capital francesa, na Rue du Faubourg Saint-Honoré, o Le Bristol está a apenas três quadras da Champs-Elysées.

Por ali, o governador e a primeira-dama caminham eventualmente como dois simples turistas. Cabral gosta de escolher o trajeto e não abre mão de passar em frente ao Palácio do Eliseu, residência oficial do presidente francês – a 300 metros do Le Bristol. Aprecia a suntuosidade de seu portão principal e a riqueza da arquitetura do prédio construído em 1718, composto por 350 ambientes. Cabral e Adriana já o visitaram inúmeras vezes e sempre saem de lá eufóricos por alguma novidade recém-descoberta.

Os dois respiram Paris magnetizados, imersos num estado inebriante e imunes a cataclismos políticos. Sentem-se exatamente assim em setembro de 2009. A opção de Cabral e Adriana pela riqueza se evidencia em pormenores dos palácios Guanabara, de onde o governador despacha, e Laranjeiras, a residência oficial. O governador julga-se na obrigação de apresentar o banheiro estilo *belle époque* a todos que recebe no Laranjeiras.

* * *

Em novembro de 2008, a então ministra Dilma Rousseff ficou no palácio por uma noite e se encantou com a beleza daquele cômodo. Comentou com Cabral que o banheiro mais luxuoso do mundo, o de Villa Madama, em Roma, residência do primeiro-ministro, não fazia frente ao que tinha acabado de ver.

De fato, o banheiro do Laranjeiras é uma obra-prima. Tem 31 metros quadrados, paredes de mármore violeta, espelhos em painéis com moldura de mármore de Carrara e um mosaico, também marmorizado, com um grande florão ao centro. O local testemunhou momentos importantes da história do país.

Alguns deles protagonizados por Juscelino Kubitschek, que morou no palácio de 1956 a 1958 e tratava da sua agenda com auxiliares diretos de um modo original: ensaboado, dentro da banheira. Seu chefe de imprensa, o escritor Autran Dourado, conta isso no livro "Gaiola aberta – Tempo de JK e Schmidt": "A minha intimidade com JK ia a tal ponto que chegava mesmo ao ridículo de eu despachar com ele no banheiro (do Palácio), o que não me agradava muito".

Não há indícios de que Sérgio Cabral tenha imitado Juscelino, até porque ele ocupou por pouco tempo o Laranjeiras. Morou ali por um breve período, em 2011, nos quatro meses em que esteve separado de Adriana Ancelmo.

Antes, sua esposa usou os salões daquele palácio para comemorar o aniversário de seus filhos. Fez do tradicional espaço para recepções diplomáticas uma casa de festas. Mais tarde, em 2016, o Ministério Público Federal contestaria a origem do dinheiro (R$ 1.070,00) gasto com o cachorro-quente de uma daquelas reuniões infantis.

* * *

Se o toalete do Palácio Laranjeiras servia mais a autoridades de fora do Rio, com todas as honras de Sérgio Cabral para o desfrute daquele espaço, restava ao governador usufruir de um dos banheiros, não menos atraente, de seu apartamento no Leblon.

E por que não dotá-lo de dispositivos e tecnologia mais avançados? Pensando assim, Cabral importou uma privada polonesa, capaz de fornecer jatinhos de água em três temperaturas: 35°C, 40°C ou 45°C. O assento também podia ser aquecido – ficava a critério de cada um. Tudo acionado num painel lateral, que se assemelhava aos comandos de um pequeno automóvel.

Adversários políticos de Sérgio Cabral e também os plantonistas de maledicências nas redes sociais disseminaram pilhérias impublicáveis sobre o uso da privada que veio da terra de Lech Walesa. Uma delas, mais sarcástica que ácida, dava conta de que o governador recorria à temperatura máxima, de 45°C, quando tramava alguma vantagem mais arrebatadora.

As estripulias de Cabral com os gastos pareciam ilimitadas e revelavam-se assustadoras. Somente a sua coleção de ternos da grife italiana Ermenegildo Zegna *su misura* – feitos sob medida – foi avaliada em R$ 300 mil. Essa quantia seria suficiente para comprar um bom apartamento de dois quartos em Benfica, bairro do Rio onde fica a sede da TV Record, um batalhão da Polícia Militar e a cadeia pública José Frederico Marques, que Cabral iria conhecer muito bem a partir de 2016.

A cada dia, o governador e Adriana passavam a impressão de que só se realizariam se experimentassem todos os prazeres propiciados pelo consumo de luxo.

Em 24 de junho de 2017, a revista "Veja" publicaria as seguintes palavras de Adriana Ancelmo: "Estávamos em êxtase. Nos nossos aniversários, era tanta gente, tantos presentes, que distribuíamos entre os empregados do nosso prédio sem nem abrir os pacotes".

Assessores desconfiados diziam que o casal parecia viver em busca de sensações mágicas e fugidias, flertando com o imponderável, num processo autofágico, sem se dar conta disso.

Capítulo 13
PURA MAGIA

O barão e a baronesa não medem esforços para agradar Cabral e Adriana. Claro. Querem um ambiente o mais leve possível e estão há semanas cuidando de cada detalhe da festa. Contam, para isso, com uma equipe de profissionais do próprio Travellers Club, habituados a eventos de gala. Gérard contratou um mágico para entreter os convidados antes do jantar. Da escola de um dos mestres da mágica francesa, Bernard Bilis, e trajando uma sobrecasaca preta e volumosa, o perito em truques é apresentado a Sérgio Cabral e mostra logo suas habilidades.

Pede que o governador mostre a mão direita. Então, o homem segura os dedos dele, estica-os e simula que vai quebrá-los. Na hora em que faz um movimento mais brusco, ouvem-se estalos que parecem mesmo os de uma série de fraturas. Cabral se assusta, olha para as mãos e se recompõe. Tem um ataque de riso. O barão observa aquilo tudo com atenção e se diverte com a reação do governador. Em seguida, o mágico prega uma peça na primeira-dama, escondendo moedas na mão dela, que desaparecem em seguida. Ao estender a mão direita, um anel reluzente, de ouro e diamantes, chama a atenção dos presentes. Para a joia também não sumir como as moedas, Adriana brinca e oferece a outra mão:

– Ele é genial – comenta.

Os convidados vão chegando em grupos e são recebidos com boas-vindas em várias línguas no bar que dá acesso ao salão nobre, onde pouco depois será servido o jantar. Aquele espaço intermediário tem paredes e poltronas aveludadas e uma luz avermelhada. É encantador. Os que esperavam Cabral à porta da mansão, um pouco antes, agora se encontram no bar, onde são servidos gim, bloody mary, vinho e uísque.

Enquanto isso, aproveitando-se da desinibição e da falta de reflexo de suas presas, o mágico vai conquistando a simpatia em pequenas rodinhas, sempre acompanhado do barão. Em outro grupo, o empresário português João Pereira Coutinho, dono da Unidas, segunda maior locadora de carros do Brasil, também se diverte com os truques, agora com cartas de um baralho.

De longe, Cabral olha para o mágico, faz um comentário com Régis Fichtner e conta para Wilson Carlos e Sérgio Côrtes como seus dedos foram quebrados sem que ele sentisse dor. Côrtes, o médico da trupe, diz que a ausência de dor naquela situação é impossível. Joaquim Levy e Julio Lopes acompanham a explicação. Eles se deliciam com o bom humor do governador. Com olhar sério, Cabral arranca uma gargalhada generalizada ao comentar em voz alta:

– Só o mágico mesmo pra fazer aparecer aqui o Eduardo – refere-se ao prefeito Eduardo Paes.

O homem contratado pelo barão para divertir os convidados já tinha feito o seu trabalho e deixaria a mansão antes do jantar. Mas Cabral continua afiado:

– Querida, é melhor dar uma conferida pra ver se o anel é o mesmo.

– É sim.

– Tem certeza? – ele insiste, rindo.

Inevitáveis as piadinhas logo após as apresentações. Uns perguntam para outros se os cartões de crédito e os euros permanecem no bolso dos paletós. Se sumiram, a culpa não foi do mágico. Aliás, seria leviano atribuir àquele artista alguma responsabilidade pelo eventual sumiço de guardanapos, horas mais tarde.

No bar o som de vozes se mistura ao do tilintar de taças. Os garçons já estão com suas borboletinhas enlaçadas e paletós brancos. Seguem orientações dos maîtres, que exibem gravatas mais longas e coloridas em forma de mosaicos. Eles sabem quem é o homenageado da noite e há um serviço quase que exclusivo para o governador e a primeira-dama.

O barão agora apresenta Cabral a amigos franceses. Estão ali presidentes de grandes companhias, como Bouygues, Technip e Acoor, entre outras. Nessas horas, quem fica mais próximo do governador é Julio Lopes, que atua como intérprete. Ele é o único secretário de estado no banquete que fala francês com fluência e elegância. Hábil e inteligente, Sérgio Cabral tem um discurso sedutor e ao mesmo tempo recheado de boas tiradas, que descontraem e conquistam a simpatia dos franceses endinheirados:

– Meu sonho é levar a Torre Eiffel para o Rio, mas aí eu ia ofuscar o Cristo Redentor – ele diz, provocando risos gerais.

É o aperitivo para começar a enumerar todas as etapas do *boom* econômico pelo qual passa o Rio, a fazer projeções e a convencê-los de que apostar na Cidade Maravilhosa é uma aplicação sem risco. Destaca os avanços em diferentes setores, transmite otimismo e cita uma pesquisa divulgada na primeira semana daquele mês sobre a eleição para o governo do estado, em que aparece com mais do que o dobro das intenções de voto do vice-líder, Fernando Gabeira: 36% a 17%. Sua reeleição em 2010 está madura.

Há até ali uma etiqueta tácita que conduz o início de noite. Tudo está em harmonia. O governador é celebrado pelos que chegam ao bar. Os que já estão com copos e taças brindam com ele. Cabral sabe que é o cara! Ele não só retribui o carinho com um tintim suave, como abraça e até beija o rosto dos mais chegados.

Eduardo Paes está por perto com a mulher, Cristine, e o secretário de sua Casa Civil, Pedro Paulo, também acompanhado da esposa. Hesita um pouco antes de cumprimentar seu chefe político. E quer saber quem são os homens que cercam e lisonjeiam o governador e acompanham com tanta atenção a tradução de Julio Lopes.

Está curioso, olha para o grupo seguidamente e depois comenta algo com Pedro Paulo, como se estivesse impressionado com o glamour do evento e a presença de tantos franceses ilustres. Pouco a pouco, há uma dispersão dos que estão em torno do bar. Alguns se acomodam nas enormes poltronas distribuídas simetricamente no ambiente. Como os cômodos da mansão estão abertos, há uma romaria pelas dependências. O sobe e desce pelas escadas esculpidas em ônix é incessante.

Nas sacadas do restaurante, alguns convidados fumam contemplando as luzes da Champs-Elysées. Do lado de fora, quem passa pela avenida nota que a casa da cortesã Theresa Lachmann está em festa. Já passa das 21h30. Não há mais o que esperar. Bem ensaiados para o cerimonial, os maîtres conversam com o barão, de quem recebem autorização para dar início ao serviço de jantar. Eles mesmos se encarregam de chamar as pessoas. São cordiais em seus gestos e falam baixo. O barão e a baronesa Sylvia Amélia também convidam os presentes a passar ao salão nobre.

Há os retardatários, ainda dispersos em bate-papos animados no bar. Eles se demoram um pouco a sair dali. A equipe de garçons que os atendia agora segue em fila para o salão. As luzes avermelhadas assumem uma tonalidade mais escura e densa, uma forma elegante e sutil para que todos se desloquem ao restaurante.

Cabral e Adriana sentam na única mesa reservada, no centro do salão, enquanto as demais são ocupadas aleatoriamente. O casal de anfitriões vai lhes fazer companhia.

Capítulo 14
TUDO SOB CONTROLE

Se em Paris há um rebuliço entre empresários e amigos de Sérgio Cabral com sua presença na cidade, a nove mil quilômetros dali, no Palácio Guanabara, o vice Luiz Fernando Pezão despacha com discrição. De vez em quando usa uma tampinha de caneta para desembrulhar uma barrinha de paçoca e confidencia a assessores que o torresmo de Piraí, sua cidade natal, no interior do Rio, é o melhor do país. Não há muito mais o que fazer. A ausência do chefe não será longa. O marasmo no gabinete do governador em exercício tem a ver com o silêncio oficial sobre a viagem de Cabral à França. Quase nada é publicado na imprensa, em parte porque virou lugar-comum noticiar as viagens de negócios do governador, especialmente a Paris.

Naquela semana, o espaço na mídia dedicado ao novo *tour* praticamente se restringe ao lançamento do "Guia Michelin Rio", na terça-feira 15 de setembro. Nada é publicado nos grandes jornais, nem mesmo uma nota, sobre a festa, na véspera, em que Sérgio Cabral e seus amigos Fernando Cavendish, Georges Sadala, Wilson Carlos e Sérgio Côrtes virariam de cabeça para baixo a noite parisiense. Há uma clara preocupação de sua assessoria em evitar comentários maledicentes e disse me disse em torno da figura do governador. Os mexericos palacianos já vinham sinalizando que um trem-bala da alegria levaria muitos convidados de Cabral a Paris. Mas são homenagens à distância. Nada que exponha a privacidade do governador e da primeira-dama nesses dias de glória em Paris.

No dia 15 daquele mês, o deputado federal Simão Sessim (PP-RJ) registra a presença do governador na França. Do púlpito da Câmara, ele lê duas folhas que fazem menção à entrega da Legião de Honra a Cabral, resumindo a história da comenda, e exalta ainda o lançamento do "Guia Michelin Rio". O plenário tem pouco movimento e ninguém presta atenção no discurso. "Sérgio Cabral tem se destacado como o grande promotor das relações entre a França e o Brasil, conseguindo com isso ampliar os investimentos franceses no estado", elogia o deputado, primo do contraventor Anísio Abraão David, homem que controla com mão de ferro a política da cidade de Nilópolis, na Baixada Fluminense, e que comanda a escola de samba Beija-Flor.

O governador teve uma rotina atribulada em setembro de 2009 e agora quer um pouco de sossego, diversão e holofotes escolhidos por ele – pelo menos para essa noite de festa. Logo no primeiro dia útil do mês, Cabral esteve em Vitória, no Espírito Santo, com Lula, para um encontro empresarial entre Brasil e Alemanha. Ainda em 1º de setembro, numa cerimônia no Maracanãzinho, também com o presidente, recebeu vaias atribuídas a um grupo ligado ao prefeito de Nova Iguaçu, Lindbergh Farias, que lutava por uma chapa do PT nas eleições estaduais de 2010 desvinculada do

PMDB. Irritado, o governador voltou-se para Lindbergh e o repreendeu:

– Que papelão, hein!?

No meio do fogo cruzado, um constrangido Lula tentou contornar o mal-estar, enquanto o acusado dizia que não tinha nada a ver com o caso:

– Presidente, não tem essa de claque. Ele foi vaiado porque trocou o Rio por Paris e a população sabe disso. É um governador itinerante. O sonho dele é abrir uma representação do Palácio Guanabara na Champs-Elysées ou num puxadinho da Torre Eiffel.

Conciliador, Lula esboçou um sorriso com ironia, mas rapidamente deu dois tapinhas no ombro de Lindbergh, como quem pede uma trégua.

No dia 2, Cabral se reuniu no Palácio da Cidade com o prefeito Eduardo Paes e o ministro do Esporte, Orlando Silva, para analisar o projeto final da candidatura do Rio que seria enviado ao Comitê Olímpico Internacional. Havia ainda algumas pequenas pendências – nada que não pudesse ser resolvido em menos de dez dias. O governador também esteve num lançamento de projetos de abastecimento de água e esgoto, em Brasília, onde travou uma conversa não muito amistosa com seu colega de Pernambuco, Eduardo Campos, sobre os royalties do pré-sal.

Nesses dias que antecederam a viagem, ele acolheu no Palácio Guanabara representantes da Associação dos Profissionais e Amigos do Funk e bateu palmas para a Orquestra de Cordas do grupo AfroReggae. Também sancionou uma lei sobre uso de equipamentos eletrônicos para monitoramento de presos em regime aberto e ainda reuniu a bancada fluminense da Câmara dos Deputados para discutir o pré-sal.

Em dois eventos de setembro, antes dessa noite, Cabral recorreu a bravatas para se impor. Num deles, anunciou o fechamento do Laboratório Industrial Farmacêutico da Polícia Militar, em São Gonçalo, que fabricava xampu sabe-se lá por quê. Disse que isso era uma "uma distorção a ser corrigida". No outro, referiu-se à baderna das vans no estado com palavras fortes:

– O sistema não pode ficar na ilegalidade ou promiscuidade, é preciso defender a ordem.

Seu discurso nesse período fortalecia a imagem do homem público probo, austero e prestigiado por grandes investidores do exterior.

Em 10 de setembro, antes de viajar à noite para a capital da França, Cabral teve tempo de participar da abertura da XIV Bienal Internacional do Livro, no Rio, e aprovou lei sobre gratificações aos profissionais da rede estadual de ensino. Só então passou o bastão para Luiz Fernando Pezão.

Horas depois, Sérgio Cabral e Adriana voaram de helicóptero até o Aeroporto Internacional do Galeão. A partir daí, Cabral acionou o modo avião – e ficou assim até voltar ao Brasil.

Capítulo 15
TODOS QUEREM CABRAL

A autonomia para a escolha das mesas gera um movimento calculado na maioria dos presentes. Definem o rumo de acordo com as conveniências. Os empresários franceses, mais fiéis às etiquetas, dividem a mesma ala do restaurante, próximos de Sérgio Cabral. Os secretários do núcleo central do governador também estão juntos. Verônica Vianna, mulher de Sérgio Côrtes, coloca a bolsa numa cadeira para guardar o lugar de Mônica Araújo, que vem caminhando do final de um corredor atrás de outros convidados, com o marido, Wilson Carlos. Fernando Cavendish e Georges Sadala, com as esposas, se mantêm lado a lado e no campo visual do governador.

A acomodação segue um ritual e uma lógica. Ficar numa extremidade do salão, mais afastado da mesa central, pode indicar menos prestígio, ou nem tanta afinidade assim com Cabral. Isso não vale para todos. Os pais do homenageado, por exemplo, instalam-se quase colados a uma parede. Não precisam de evidência, na verdade até a desprezam. O jornalista prefere a discrição, mas é indisfarçável sua emoção.

Ele parece voltar no tempo e lembrar do apoio que recebeu do filho para que tentasse uma cadeira de vereador no Rio, nos anos 80.

* * *

Houve uma indecisão de início, mas a sugestão acabou aceita. Com a imagem do velho Cabral muito associada à cidade – apaixonado por futebol, carnaval e mesas de bar –, o cenário parecia favorável para sua eleição. Foi a primeira chance do pai e também do garoto na política. O filho assumiu a coordenação da campanha, minguada de recursos, mas com forte apoio de artistas, músicos e gente do samba. Foi o bastante para Cabralzão se eleger. E Serginho obtinha ali sua primeira vitória na nova carreira.

O vereador bonachão, em seu mandato de estreia entre 1983 e 1988, esticava os trabalhos na Câmara com um plantão nas mesas do bar Amarelinho, na Cinelândia, quase sempre na companhia do filho. Serginho, que assumiria a função de chefe de gabinete do pai, já o acompanhava na cerveja e no uísque. Às vezes, tinham a companhia de Maurício, irmão de Serginho, que muitos anos mais tarde trabalharia na área de publicidade do governo Cabral.

Nos anos 2000, o envolvimento da família no universo político contaria ainda com Cezar Vasquez, casado com Cláudia Cabral, a caçula de Sérgio pai e Magaly. Ele presidiria o Sebrae-RJ durante o segundo mandato do cunhado.

A vida de assessor parlamentar caminhava de vento em popa: Serginho herdava aos poucos o carinho dispensado ao pai por uma legião de cariocas, amigos, conhecidos ou colegas de trabalho. Ainda assim, aquele rapazola não se descuidava do curso de jornalismo na Faculdade da Cidade. Serginho, gente boa, faceiro, misto de playboyzinho do Leblon com raízes suburbanas, já tinha planos ambiciosos, inspirados pela onda a favor das eleições diretas que o levara a conhecer Tancredo Neves e o neto dele, Aécio – mais tarde seu guru e modelo de político.

Zagueiro em jogos de futebol de areia, fã da novela "Roque Santeiro" e das confusões de Sinhozinho Malta (Lima Duarte) com o prefeito Florindo Abelha (Ary Fontoura), Serginho queria dar um salto na vida. Algo lhe incomodava e ele precisava se libertar. Decidira então romper com o diminutivo que lhe perseguia desde o berço.

Fazia um pouco de frio naquele 10 de maio de 1986 e um tímido nevoeiro teimava em ofuscar o céu azulado do outono carioca. Os relógios da churrascaria Gaúcha, em Laranjeiras, na Zona Sul, marcavam 13 horas. Nascia ali Sérgio Cabral Filho, candidato a deputado estadual pelo PMDB. O almoço de adesão ao lançamento de sua candidatura foi um sucesso. Figurões do partido, como Artur da Távola, a quem prestou também assessoria, marcaram presença para prestigiá-lo. Saiu de lá confiante, com planos e planilhas. Queria o pai como cabo eleitoral. Sua campanha trazia duas bandeiras: oportunidade para os jovens e respeito aos idosos. Mas não teve bom desempenho. Obteve apenas 7.653 votos e ficou bem atrás dos 18 deputados eleitos pelo PMDB.

* * *

Distraído em suas lembranças naquela mansão toda enfeitada, Sérgio pai é cutucado por dona Magaly, que lhe aponta o garçom, ali de pé, com uma bandeja de bebidas.

Ele reage com um leve movimento de cabeça, pede um copo de uísque, mexe as pedrinhas de gelo com o dedo indicador e procura a mesa do filho, ladeada pela nata do empresariado francês. Os olhos do jornalista estão marejados de emoção e orgulho.

Talvez se lembrasse ali que o fracasso na primeira tentativa não desanimou o filho. Ao contrário, o garoto mergulhou de cabeça na vida política, ingressou no PSDB e concorreu novamente em 1990. Daquela vez deu certo – elegeu-se com 11.350 votos e tornou-se líder do partido na Alerj. Dali em diante, tudo passou a ser alegria na trajetória de Sérgio Cabral Filho. Em quatro anos já estava na presidência da casa, fato que chamaria a atenção de Joaquim Levy, quando aceitou comandar as finanças do estado do Rio no primeiro governo de Cabral.

– Não é qualquer pessoa que chega à presidência de uma Assembleia Legislativa aos 31 anos. Ele tem muitos méritos.

Ainda em 1994, Sérgio Cabral começava a se impor sem o sobrenome Filho e conseguia a reeleição com uma votação expressiva: 168 mil votos. Na Alerj, dispensou o carro oficial e passou a ir trabalhar dirigindo seu Voyage. Estabeleceu um teto salarial para os servidores do legislativo e acabou com a aposentadoria especial dos parlamentares. Encantou com essas medidas os apontadores do jogo do bicho que ocupavam ruas coladas ao prédio da Assembleia. Quando avistavam o Voyage, levantavam de seus banquinhos de madeira e aplaudiam "aquele cabra bom".

O pai já havia trocado a política pelo cargo vitalício de conselheiro do Tribunal de Contas do Município. Enquanto isso, o queridinho de mocinhos e velhinhos, organizador de bailes da terceira idade, foi mais uma vez reeleito em 1998. A ascensão política estava definitivamente consolidada. E a patrimonial, também. No fim daquele ano, veio a público a notícia da aquisição da mansão em Mangaratiba, avaliada à época por corretores em mais de R$ 1 milhão. Em sua declaração de bens ao Tribunal Superior Eleitoral, em quatro períodos (de 2002 a 2010), o imóvel seria listado com o valor de R$ 200 mil. Se atualizado, valeria no mínimo R$ 3 milhões em 2010. O escândalo resultou num inquérito que submergiu e foi arquivado em 1999.

O horizonte estava livre. Já nos braços de Anthony Garotinho e Rosinha Matheus, de volta ao PMDB, Cabral tomou assento no Senado em 2003, com 4,2 milhões de votos – a maior votação para o cargo na história do Rio. De degrau em degrau, pavimentava sua chegada ao Palácio Guanabara. Até porque não demonstrava interesse pela função em Brasília. Achava entediantes as sessões no Senado, faltava a muitas delas. Tornou-se o maior frequentador do café da casa e gastava o tempo à espera da eleição de 2006. Ainda conseguiria aprovar o Estatuto do Idoso, um reforço de peso para continuar com o apoio desta parcela expressiva do eleitorado.

Cabral contou com a máquina do governo estadual – Garotinho e Rosinha davam-lhe apoio – e finalmente, avalizado por mais de cinco milhões de eleitores, se viu com as chaves do Palácio Guanabara. Exatamente dali, onde, 118 anos antes, a Princesa Isabel assinava a Lei Áurea e um ano depois partiria apressada com o marido, Conde d'Eu, para o baile da Ilha Fiscal.

Com menos de três anos de governo, Sérgio Cabral agarrou-se à cauda de um cometa e foi ejetado para além da atmosfera. Difícil prever onde aportaria: na Esplanada dos Ministérios? No Palácio do Planalto?

* * *

Os devaneios do pai coruja são novamente interrompidos. Agora, o secretário de Desenvolvimento Econômico, Julio Bueno, e sua esposa, Fátima, pedem licença e perguntam delicadamente se podem lhes fazer companhia.
– É uma honra. Por favor – diz dona Magaly.
Os comensais folheiam o menu do jantar e trocam opiniões com os maîtres, sem nenhuma pressa. São observados à distância pelos garçons, que apenas aguardam a ordem para servi-los. Ravióli de lagosta ou bacalhau com chanterelles? Há ainda uma terceira opção: atum grelhado com brotos de espinafre.
A variedade dos pratos obedece a uma orientação criteriosa dos anfitriões, já habituados a outras solenidades privadas na sede do Travellers Club. Quem quiser pode apostar na suculenta costeleta de vitela com cogumelos porcini ou no carré de carneiro com ervas e legumes frescos. Isso tudo servido na sequência das saladas de caranguejo com manga e do caviar de berinjela.
A noite, deslumbrante, carece de música e isso, evidentemente, consta do cardápio. Seja ao som ambiente de uma orquestra ou na voz de um casal de músicos de Monte Carlo. Os dois vestem roupas vermelhas e são bastante cênicos. Passeiam pelo salão com gingas e requebros. A trilha começa com Frank Sinatra, passa por "You never can tell", de Chuck Berry, e chega a Vanessa da Mata, Jorge Ben Jor e Seu Jorge. Os sucessos do trio brasileiro em 2009 se

adaptam ao requinte da noite na Champs-Elysées, 25.

A música "Burguesinha", de Seu Jorge, faz o salão se animar: "Vai no cabeleireiro / No esteticista / Malha o dia inteiro / Pinta de artista / Saca dinheiro / Vai de motorista / Com seu carro esporte / Vai zoar na pista / Final de semana / Na casa de praia / Só gastando grana / Na maior gandaia".

Adriana ensaia palmas ritmadas e é acompanhada pelo marido. Os dois trocam olhares apaixonados. Na mesa deles, Eduardo Paes também entra no clima de fascinação e aplaude o casal.

Capítulo 16
"VAI DAR MERDA..."

Com a missão de agradecer a presença dos convidados, Julio Lopes faz um discurso bilíngue, no centro do salão. Em francês e português, ele destaca a generosidade do barão Gérard de Waldner e da baronesa Sylvia Amélia, enaltece as boas relações entre Brasil e França, especialmente entre Rio e Paris, e, sobretudo, exalta a amizade dos empresários ali presentes. Na sequência, enumera os triunfos do governo Sérgio Cabral. É aplaudido e ouvem-se gritos de "muito bem" e "bravo". A manifestação, efusiva, parte de um engravatado, do fundo do salão, vizinho de mesa de Aloysio Neves – futuro conselheiro do Tribunal de Contas do Estado.

Julio Lopes ignora o rompante e retorna à mesa. Está sem a esposa, Kitty Monte Alto, que ficou no Rio para cuidar da filha recém-nascida. Ele mantém a sobriedade durante a festa, preocupa-se a cada meia hora em conferir se o terno e a gravata estão alinhados, e quer retornar o quanto antes ao Rio. Conta para os amigos que nunca teve tanta saudade de casa. Três anos mais tarde, Garotinho postaria em seu blog a foto de Julio com o microfone, no momento em que discursava, e escreveria que ele estava lá como *crooner*, imitando Edith Piaf com a canção "La vie en rose".

Julio Lopes preza pela formalidade. Em sua vida pública há, porém, o registro de um baita deslize protocolar duas semanas após a viagem a Paris. Ele acompanhava no Copacabana Palace, ao lado de Dilma Rousseff e de outras autoridades, o anúncio da escolha do Rio como sede dos Jogos Olímpicos. Assim que foi anunciado o resultado, Julio pegou a futura presidente pela cintura e a levantou do chão. Foi tudo muito rápido. Refeita do susto, ela acharia graça daquele arroubo do secretário.

Agora, a dupla de cantores-dançarinos retorna ao salão depois de um intervalo. Eles vestem roupas pretas. Cada qual com seu microfone, os dois ficam ao redor da mesa do barão. Ela se reapresenta com trajes mais ousados, com as costas nuas e uma tatuagem de um coração entre flores e espinhos.

O ambiente é bem mais descontraído. No centro do salão, as risadas de Sérgio Cabral contagiam seus pares. Ele já jantou e circula pelas mesas. Está satisfeito com a presença de todos e, principalmente, com a qualidade do vinho Barca Velha, um dos mais caros de Portugal – uma garrafa, dependendo da safra, pode custar dois mil euros. Enquanto degusta o clássico vinho da região do Douro, o governador brinca com um dos garçons:

– Pode trazer o estoque todo – diz, em português, no instante em que simula um brinde com o empregado, o mesmo que uma hora e meia antes tinha dado a ele detalhes, em inglês, sobre o cardápio da noite. – Esse garoto é bom, vou levar pra trabalhar no Palácio – prossegue Cabral, com os olhos vidrados na cor encorpada do vinho e contando com um gesto de aprovação de Eduardo Paes.

O garçom, treinado para essas ocasiões, curva-se respeitosamente. A relação do governador com subalternos já lhe rendeu elogios. Haroldo Gomes, veterano garçom do Palácio Guanabara, se impressionava com a maneira gentil de Cabral receber em seu gabinete e sempre reconhecia a simplicidade do chefe, que não fazia distinção se o convidado estava de terno ou com uma roupa simplória.

Enquanto o marido transita pelo salão, Adriana exalta a elegância do Barca Velha, que parece brotar de todos os lados. Ela dá atenção especial à baronesa Sylvia Amélia e acena de longe para outras convidadas, a quem logo se juntará. Na mesa próxima à parede violeta, Sérgio Cabral pai observa cada movimento com atenção, às vezes com as mãos no queixo, pensativo. Já Magaly abre mão do vinho, prefere uísque e explica regras para que o aroma da bebida não seja alterado.

Uma delas, diz, é deixar o uísque repousar alguns instantes à temperatura ambiente e, em seguida, agitar o copo para que o líquido se espalhe.

– Pombas, você vai falar isso logo pra mim?! – rebate o marido, PhD no assunto.

O casal acompanha de longe a imitação de Michael Jackson, feita com fidelidade pelo dançarino oficial da festa. O cantor americano havia morrido três meses antes, em junho daquele ano. Um pot-pourri com grandes sucessos do Rei do Pop começa a desinibir até os mais recatados.

Aqui, vale ressaltar que alguns convidados já tomavam novo rumo. Não por causa de outros compromissos ou porque estivessem enfastiados. Mais comedidos que a média dos presentes, havia quem antevisse um final de noite antológico. São 23 horas, a sobremesa está sendo servida (*dame blanche,* um gelado de baunilha com calda de chocolate, coberto por amêndoas laminadas) e as garrafas de vinho parecem emoldurar cada cantinho do salão – além de Barca Velha, o francês Chateau Lafite Rothschild, da região de Pauillac, também é uma das atrações da festa.

Os garçons não têm descanso – são cerca de 25, um para cada cinco, seis convidados – e Julio Bueno não esconde uma ligeira aflição. Chama discretamente sua esposa, Fátima, e cochicha:

– Vamos embora porque as coisas estão ficando esquisitas.

Respeitado como gestor e bom frasista, Julio Bueno dispõe de um humor improvável em situações diversas. Age em parceria com seus assistentes, a quem adverte antes de alguma reunião externa que possa prejudicar o trabalho da secretaria de Desenvolvimento Econômico: "Cuidado que o mais bobo ali conserta relógio com luva de boxe". Em outros contextos, não muito diferentes, não deixa de dar outro tipo de orientação: "Pode dormir com as cobras, mas tente acordar antes delas".

Bueno só franze o rosto quando o Fluminense perde. Torcedor tricolor, é capaz de atitudes apaixonadas para ver seu time jogar. Já liderou o frete de um Folker-100, com 148 lugares, para acompanhar a final da Copa do Brasil, em Florianópolis, em 6 de junho de 2007. Voltou para casa feliz: seu time venceu o Figueirense por 1 a 0 e foi campeão.

Com o salão já em ebulição naquele fim de noite, Julio Bueno e Fátima saem à francesa.

Não são os únicos. Eduardo Paes e Pedro Paulo se comunicam apenas com um olhar. Em sintonia, concluem que está na hora de dar o fora, atentos à atmosfera do lugar já com alguns sinais de anomalia.

– Tenho que ir, a Cristine está com dor de cabeça. Meus parabéns, tudo uma maravilha! – diz Paes, diante de um Sérgio Cabral já borbulhante e de quem recebe um beijo no rosto.

Um empresário carioca topa com Julio Bueno na escada da mansão e faz a mesma observação do secretário de estado, com outras palavras:

– Claro que vai dar merda... – conclui, categórico, o homem que havia tragado uma cigarrilha pouco antes em companhia de dona Magaly, numa das janelas da mansão.

Horas depois, ele ligaria para a filha, no Rio, com um pedido inusitado:

– Compre todos os jornais de amanhã *(dia 16)* e depois me dê um retorno. Isso aqui está uma esbórnia. Vai cair todo mundo.

A noite promete. Os guardanapos continuam sobre as mesas – alguns dobrados e amassados, outros intactos. São brancos, de algodão, de uma textura leve e macia. Até então, o uso deles não violara nenhuma etiqueta. O ritmo das músicas é mais intenso e os dançarinos percorrem as mesas com um gingado diferente. Sensual, a loura se insinua para os homens, como que à procura de um colo. É tudo muito dinâmico e quase todos levam na brincadeira.

Menos Adriana. Ao ver a cantora se aproximar de Cabral como quem caça uma presa, ela o agarra pelo braço, olha firme para a intrusa e não mede as palavras:

– Pode sair de perto, aqui não.

Fala em português. Sua fúria dispensa tradução. O governador, receptivo e sorridente, muda a fisionomia. Considera a reação exagerada. Protesta com delicadeza, mas não desfaz o mal-estar. Adriana está de cara fechada. Irrita-se mais ainda porque o marido não lhe dá razão. Perto deles, outros convidados registram o incidente:

— A expressão da Adriana é de dar medo. Olha só – comenta um secretário de Cabral com um colega de mesa.

Notando a repercussão do episódio, a primeira-dama disfarça, deixa o ciúme debaixo do guardanapo e tenta reverter o clima. Chama Cabral para dançar. Mas o fato se espalha pelo salão, ganha versões capciosas e vira piada entre os amigos do governador. O evento começa a sair do trilho. Os garçons, incansáveis em idas e vindas com taças de vinho, trazem também uísque.

Um convidado de Cabral é flagrado com as duas mãos ocupadas – numa delas, uma taça de Barca Velha; na outra, um Moët & Chandon. Ele ri, faz tintim, dança sozinho. Levanta, desce, rodopia. Mantém um equilíbrio invejável e não derrama nem uma gota. Um garçom de nariz pontiagudo é quem lhe serve e traz as duas bebidas de uma só vez. O agradecimento vem em vários idiomas:

— *Merci, thank you*, obrigado – diz, já molhado de suor.

À distância, Thierry Peugeot, acionista da montadora francesa que carrega o sobrenome da família, observa a tudo com certo ar de incredulidade e um discreto sorriso. Uma semana antes, ele recebera das mãos de Sérgio Cabral a Medalha Tiradentes, maior honraria concedida pela Assembleia Legislativa do Rio. Está ali para estreitar ainda mais os laços com o Brasil.

Pai de três filhos nascidos no Rio, onde morou durante sete anos, Peugeot sabe se expressar bem em português.

Mas, diante de amigos do governador, prefere usar a língua pátria, em comentários discretos. Dias depois, se espalharia entre os convivas uma declaração atribuída a Peugeot naquela noite:

– A marquesa *(a cortesã Theresa Lachmann)* estaria radiante aqui.

Os empresários franceses, em bom número, também estão sob efeito do vinho, mas mantêm a linha. Não dançam. Quando muito, aplaudem um ou outro passo do governador ou da primeira-dama. Também se divertem quando Cabral ergue o copo, ou a taça, para imitar o presidente Lula. Faz isso várias vezes durante a noite e cria situações que poderiam até arranhar um pouco sua relação com o presidente. Numa delas, especula sobre projetos futuros de Lula:

– Companheiros, minha candidatura à presidência da França é fato consumado!

Quem divide a mesa com o governador explode numa gargalhada estridente. Fernando Cavendish sai dali engasgando. Não se contém. Aproxima-se de Sérgio Côrtes e delata Cabral:

– Você perdeu a imitação. É hilariante!

Cabral cultiva esse hábito há um bom tempo. Faz imitações regulares de Lula e de Dilma Rousseff, muitas vezes na frente de ambos. Mas tem extremo cuidado com o texto. Longe da dupla, porém, dá mais vazão a sua criatividade e direciona temas e cacoetes de acordo com os interesses do público-alvo. É um ótimo imitador também de Michel Temer, Rodrigo Maia e de sua antecessora no governo do estado, Rosinha Matheus, de quem exagera nos trejeitos. Só não tem ideia de quanto as notícias publicadas sobre esses gestos aumentam ainda mais a ira do casal Garotinho.

Capítulo 17
CONVIDADA INDISCRETA

Nem todos da comitiva valem-se das regalias naquela noite. Há, entre eles, assessores movidos pela obrigação de zelar pela imagem do político. Eles estão apavorados. Fazem a leitura correta de um iminente descarrilamento. Reúnem-se num dos acessos do salão e decidem agir. A primeira providência: convocar um fotógrafo, sem vínculo direto com o gabinete de Cabral, para uma sala reservada.

O rapaz, arisco em seus deslocamentos entre as mesas, flagrara cenas impróprias da festa, envolvendo empresários e vários personagens do alto escalão do governo do estado. Aturdido com a atitude dos assessores, é convencido – ou intimado – a mostrar o que havia registrado. Diante de imagens de conteúdo comprometedor, não há alternativa: entrega seu cartão para que as fotos sejam apagadas imediatamente. Em seguida, recebe cartão vermelho e é expulso do banquete.

Mas isso não é tudo. Mulheres de empresários e de políticos fluminenses estão com suas câmeras digitais em ação

– a qualidade das fotos feitas por celular em 2009 não é das melhores. Querem guardar os momentos mais divertidos desse 14 de setembro. Sérgio Cabral é o principal alvo. Já existe ali uma concorrência de peso na disputa pelo título de mais animado da noite. O empresário Georges Sadala e o secretário de Governo, Wilson Carlos, querem um lugar no pódio e apresentam as credenciais.

Enquanto a musa de vestido preto canta, dança e continua usando seu charme nos esquetes com homens desprevenidos – sem Adriana para impedi-la –, assessores de Cabral abordam, educadamente, uma digna convidada da elite carioca, oculta em sua pretensão de montar um álbum com as mais incríveis fotos do evento. Neste caso, mais prudentes, não confiscam a câmera. Pedem que ela interrompa a sessão e deixe as imagens por conta deles. Há um breve diálogo, a convidada quer saber o porquê daquilo. Ouve a explicação, não questiona nada e finge se dar por satisfeita.

Mas com os brios feridos, alguns minutos depois ela caminha empertigada até o centro do salão. Vai até Cabral, puxa-o pelo braço e faz queixa. O som é alto, o governador parece pedir que ela repita tudo. Em seguida, com gestos extremos – ele balança os braços e olha repentinamente para os lados –, manda chamar o assessor:

– Você está maluco? Que merda é essa? Ela pode fazer fotos, sim! Entendeu? É minha convidada. Suma da minha frente! Saia, saia daqui!

A bronca é presenciada por várias pessoas. A fúria do governador chega aos ouvidos de um dos maîtres e de alguns garçons. Empresários da Câmara de Comércio Brasil-França, preparados para ir embora, desaceleram os passos e notam um alvoroço, algo estranho no salão. Pegos de surpresa, todos querem saber o que houve. São instantes de indefinição e constrangimento. Uns olham para os outros e abrem os braços discretamente, como quem não entende bulhufas. Sérgio Côrtes reage da mesma forma:

– O que fizeram com o chefe?

Pivô da descompostura passada pelo governador em seu assessor, a dama dos flashes retorna calmamente à sua mesa. Sente-se vitoriosa. Ali, o orgulho pede carona à vaidade e ela refaz a maquiagem. Vinte minutos depois, lá vai ela de novo se deleitar com os cliques da farra. Não é mais incomodada até o fim da festa. Essa mulher de andar esquivo e de imenso prestígio com o governador seria lembrada três anos depois, em 2012, como a provável autora das fotos da noite do jantar divulgadas pelo blog de Anthony Garotinho.

Já é quase meia-noite e pelo menos 30 dos 150 comensais que lotavam o salão nobre da mansão já se foram há algum tempo. Martin Bouygues, presidente de uma multinacional com sede na França, acaba de sair com um grupo de amigos. Sem o mesmo ímpeto para beber e dançar, Aloysio Neves acusa um certo cansaço e também já está de saída. Pouco antes, ele deu um passa-fora na cantora de costas nuas ao ser pego de surpresa. Fazia anotações em seu blackberry, de cabeça baixa, quando ela curvou o corpo e quase sentou em seu joelho.

– Dê-se o respeito, minha senhora! Faça-me o favor! – reagiu, com o rosto vermelho e uma expressão grave de reprovação.

Carlos Arthur Nuzman é quem se despede agora do governador.

– Meu presidente! – exclama Cabral, tão logo cruza com ele.

Os dois se abraçam e o governador sapeca um beijo na testa de Nuzman, que mostra estar com um pouco de pressa. Teme perder a hora da reunião agendada para a manhã do dia seguinte, no salão de convenções do Hotel Prince de Galles. Os dois trocam algumas palavras ao pé do ouvido e pode-se ver o governador concordando enfaticamente com o que Nuzman lhe diz. A conversa é rápida, Cabral quer dançar e pede mais vinho. Quando o presidente do COB se afasta, ele fala alto, sem se preocupar com autocensura:

– O Nuzman está sóbrio! Isso é uma falta de respeito!

Para a turma mais cautelosa, da equipe de governo, é essencial não arredar o pé da festa enquanto o chefe estiver ali. A essa altura não é só o homenageado que se esbalda no salão. Adriana também pula, saltita, seus cabelos esvoaçam. Dança com as amigas Verônica e Mônica Araújo e de vez em quando esbarra de propósito no marido – a senha para um beijo do casal. Todos já abandonaram definitivamente suas mesas, usadas agora como depósitos de bolsas, echarpes, carteiras e blackberries. Poucos são os que permanecem sentados. A noite de Paris não é para os fracos.

Por mera formalidade, o barão decide ficar até o fim do evento. Esforça-se para esconder o desgaste, arrisca uma pequena prosa com Sylvia Amélia e incentiva quem quer transformar o salão numa pista de dança. Recebe convites para se juntar ao grupo e recusa com um largo sorriso. Prefere acompanhar tudo dali da sua mesa, a mais bem-arrumada da festa. Desfruta apenas da companhia da baronesa.

A música, mais intensa e dançante, sinaliza que o evento chega ao ápice. A cantora passa a ser chamada de "princesa" e, sedutora, vai convidando os homens para o baile. Ela quer ver todos dançando.

O primeiro que se aventura e tenta mostrar jogo de cintura é o engenheiro Sérgio Dias. Ele segura um guardanapo e dá aulas de contorcionismo ao se exibir diante da mulher de voz aguda que detém o microfone. Enverga o corpo, mas não quebra. Atrás dele estão Sérgio Cabral e outros da trupe, todos batendo palmas, admirados com a performance de um dos homens mais prestigiados por Eduardo Paes no município.

Já é quase impossível decifrar um diálogo daquela gente bronzeada que leva ao extremo uma constatação simples e verdadeira de Ernest Hemingway. O escritor norte-americano morou vários anos na capital francesa e descreveu assim a Cidade Luz: "Paris é uma festa". O governador está num estado de euforia poucas vezes visto até pelos mais íntimos. Abraça garçons e maîtres e os convida a conhecer o Palácio Guanabara:

– Apareçam lá com a família. Vocês vão adorar.

Sua tendência a não largar o copo em público se tornaria conhecida no carnaval de 2010, durante visita de Madonna e da então ministra Dilma ao Rio, ambas convidadas de seu camarote na Sapucaí. Ali exibiria ao país sua aptidão por doses generosas de uísque com pouco gelo. Na ocasião, sua assessoria, alardeada com o prenúncio de um cenário sombrio, tentou evitar que ele consumasse a ideia de fazer uma visita ao camarote do prefeito Eduardo Paes. Cabral teria que atravessar a Passarela do Samba e cruzaria com jornalistas. Um risco. Mas o governador não deu a mínima importância às advertências. Ao contrário. Reagiu com rispidez:

– Vão à merda! Todos vocês! Faço o que eu quero.

Decidido, e em companhia de Dilma, seguiria o caminho. A imprensa, ávida por declarações da ministra – já quase em campanha para a presidência –, logo a cercou com toda a parafernália de praxe. No momento que Dilma começava a responder perguntas sobre o encontro com a Rainha do Pop, Cabral a interrompeu e, num inglês arrastado, com pausas abruptas e a voz pastosa, passou a descrever o amor de Madonna pelo Rio.

Constrangida, a ministra interrompeu a fala de Cabral, com a desculpa de que teria encontrado alguém, encerrando assim o mico do governador. Semanas depois, o episódio ganharia uma versão que iria viralizar em redes sociais, na qual Cabral e o técnico de futebol Joel Santana dialogavam num inglês macarrônico.

Capítulo 18
ENFIM, OS GUARDANAPOS

No salão da marquesa de La Paiva, a festança segue a todo o vapor. Cabral trava agora uma luta desigual com sua gravata vermelha. Ela se rebela, dá uns pinotes sem direção, bate no rosto dele e parece clamar para que uma alma caridosa lhe desate o nó. Tudo em vão. A gravata só sairá do corpo de Cabral bem mais tarde, no Hotel Le Bristol.

A pista improvisada está tomada por dançarinos de ocasião, sem qualquer ritmo. É ali que Georges Sadala se vê frente a frente com Cabral, num dos momentos mais cômicos da noite. Ao som de um rap, os dois inventam movimentos estranhos, se agacham, levantam as mãos. Logo, uma rodinha se abre e a dupla se apresenta com mais desenvoltura. Adriana os incentiva, com requebros e palmas. Ao redor deles, há uma frenética plateia vibrando muito. Sadala está encharcado de suor. Mas não há gripe que se avizinhe a ponto de deter ou ofuscar uma dancinha exclusiva com o homem mais poderoso do Rio. Há negócios em curso. E um bamboleio a mais pode resultar em novos contratos.

Depois de Sadala, Cabral, sempre vigiado de perto por Adriana, forma agora um par com Wilson Carlos. A cena é a mesma. Giram pra lá, pra cá, erguem os braços. O secretário estadual, portador de uma barriga mediana, é mais ágil que Sadala e obtém a aprovação imediata dos que estão do lado do governador. Os dois fazem a alegria dos músicos.

No último baile do Império, na Ilha Fiscal, em novembro de 1889, o consumo de bebida alcoólica bateu recordes: 304 caixas de vinho e dez mil litros de cerveja. Lá, estavam 4.500 pessoas – entre eles 1.500 penetras –, 30 vezes mais que o número de presentes no regabofe de Cabral. Na Farra dos Guardanapos um depósito anexo à cozinha guarda o saldo da noite: são cerca de 300 garrafas vazias.

Num evento desse porte e que se estende por algumas horas, há um ponto de encontro natural e imprescindível. Os homens são os que mais se divertem com o luxo dos banheiros da mansão da marquesa. As conversas naquele ambiente intimista não chegam ao salão. Mas todos os representantes do primeiro escalão do governo do Rio que vão visitá-lo saem de lá rindo à toa. Estão com o copo nas mãos e desanuviados.

Voltam para a pista e a música está a todo volume. Sadala agora dança ao lado de Sérgio Côrtes e Fernando Cavendish. Já Sérgio Dias diminui a intensidade para recuperar o fôlego. Cabral e Adriana celebram com novos beijos e abraços. Não há nenhuma privacidade: alguns auxiliares não os deixam a sós e aplaudem até quando um deles pede um pouco mais de vinho.

Enquanto os homens entornam as últimas taças de vinho, as brasileiras aproveitam a ausência das francesas, ficam mais à vontade e se reúnem para um momento de admiração recíproca. Um encontro perfumado por fragrâncias que se misturam entre Chanel nº 5, J'Adore Dior, Angel de Thierry Mugler e Coco Mademoiselle. Em meio a elogios que, sem cerimônia, dirigem-se umas às outras da cabeça aos pés, a primeira-dama se destaca e é homenageada em uma sucessão de brindes.

* * *

Mãe de dois filhos e responsável pela obra social do estado, Adriana tem lá seu reconhecimento pela liderança, pelo entusiasmo e pelas realizações. Recentemente ela havia impressionado as amigas ao organizar um show beneficente de Roberto Carlos no Teatro Municipal, cuja arrecadação totalizou R$ 3 milhões. Elogiada com frequência por ser uma mãe dedicada e presente nas reuniões do colégio dos filhos, Adriana tem especial orgulho de sua carreira na advocacia, com mais de 1.500 processos judiciais sob sua responsabilidade. Gosta de citar isso. Aliás, os serviços da advogada Adriana Ancelmo foram reconhecidos pela Justiça, em 2010. Ela recebeu o troféu Dom Quixote, do Supremo Tribunal Federal, "por se destacar na defesa da ética, da dignidade, da justiça e dos direitos da cidadania".

Após mais um brinde pelo conjunto de atributos e qualidades – mulher, mãe, advogada, primeira-dama e ativista dos direitos humanos –, os comentários se voltam para a joia reluzente que ostenta na mão direita. A história do anel nos faz voltar dois meses no tempo, até o dia 18 de julho de 2009, quando em uma reunião de notáveis no restaurante Le Louis XV, em Mônaco, foi celebrado o 39º aniversário de Adriana.

Ela estava exultante. Ganhou do marido naquela noite um anel de ouro e diamantes avaliado em R$ 800 mil. Na véspera, numa caminhada pelas ruas de Mônaco, Sérgio Cabral viu a peça na joalheria Van Cleef & Arpels, hipnotizou-se e decidiu reservá-la. Horas depois, levou ao local o amigo Fernando Cavendish e pediu que ele comprasse a joia. Queria fazer uma surpresa para Adriana. Nem precisou dizer ao empresário um protocolar "depois a gente acerta".

Naquelas andanças por Mônaco, Adriana e o marido, além de Cavendish e da namorada Jordana Kfuri, tinham a companhia de Sérgio Côrtes e da esposa Verônica; e de um assessor de Cabral, Luiz Carlos Bezerra, também acompanhado de sua mulher. Todos se hospedaram no Hotel de Paris Monte-Carlo, perto do tradicional Casino do principado. O governador e Adriana ficaram numa das suítes com as diárias mais caras – na faixa de oito mil euros. O Hotel de Paris é famoso, entre outros motivos, por abrigar em sua impressionante adega cerca de 600 mil garrafas de vinho.

Na "Noite do anel", Sérgio Cabral praticamente definiu a data de casamento de Cavendish com Jordana, durante jantar no Le Louis XV, restaurante com a grife de Alain Ducasse, um dos chefs mais renomados do mundo. O governador apadrinharia o casal.

Três anos depois, em 2012, Cabral mandaria um assessor devolver o mimo a Cavendish, quando os dois dariam por encerrado o ciclo de uma amizade patrimonial e, por isso, com prazo de validade. Em depoimento à Polícia Federal, no fim de 2016, Cavendish mostraria a nota fiscal do anel, o comprovante de pagamento com o cartão de crédito e o certificado da compra. Também entregaria aos investigadores uma cópia de uma foto daquela noite, em Mônaco, na qual Adriana está com a joia no dedo.

* * *

A mansão da cortesã revive uma de suas noites memoráveis. É a hora e a vez de Georges Sadala irromper pelo salão puxando um trenzinho. Nenhuma alusão ao projeto do trem-bala entre Rio e São Paulo. O empresário tem os punhos fechados como um maquinista manuseando um volante de tração. Atrás dele vêm Sérgio Côrtes, Verônica Vianna e Wilson Carlos. Eles vão ziguezagueando entre cadeiras e mesas, ao som de "Cidade Maravilhosa".

Logo, arrastam outros foliões. Ao passar por Sérgio Cabral, Wilson Carlos o cumprimenta de forma efusiva:

– Presidente!

Cabral sorri, faz um sinal de positivo com o polegar. A reverência de Wilson é repetida por Côrtes e por Sadala. Este, mais expansivo, internacionaliza o gesto:

– Mr. President!

Bastam essas menções para que a brincadeira tome o salão. O trenzinho continua a todo vapor e tem agora a condução firme de Cavendish. Circulam pelo espaço inteiro, diante de imagens de mulheres seminuas emolduradas em gigantescas telas que ocupam os ambientes da mansão. Adriana também adere ao trenzinho, no último vagão, e tenta arrastar o marido, que resiste. Cabral está muito cansado, exagerou na dose e quase não se aguenta em pé. Já trocou o vinho pela água.

Embora rejeite aquele passeio numa locomotiva movida a álcool, o governador aprova as manobras de cada passageiro. Perde alguns segundos, estático, contemplando o vai e vem do trenzinho-bala *made in* Rio de Janeiro. Ainda há um serviço ativo de garçons e maîtres, vários deles agora mais relaxados e parados num dos acessos do salão. A maioria dos convidados já se foi e tudo indica que a festa deva acabar em menos de uma hora.

Se Cabral acionou o freio e bebe um copo de água atrás do outro, Sadala e Wilson Carlos ainda têm sede. E tome vinho e champanhe! Trazem para o grupo Sérgio Côrtes e Cavendish e buscam também Sérgio Dias. Os cinco estão juntos, tramando alguma coisa. Não param de rir. Suas esposas continuam dançando e curtindo os minutos finais do baile de Cabral.

– Vamos pedir a conta – graceja o governador, olhando para Adriana, que não dá muita bola porque está comentando sobre seu anel com Verônica.

Ele quer voltar para o hotel. Posa para uma foto de despedida com Adriana, recostada em seus ombros, e não percebe que ao fundo do salão emerge um quinteto impulsionado pelo ímpeto de reescrever a história política do Rio. Afiançada pela qualidade dos vinhos e do ravióli de lagosta, o prato mais requisitado da noite, nasce ali, naquele momento, a Farra dos Guardanapos.

Os cinco fantasiados da Champs-Elysées atraem o olhar de todos e incentivam com aplausos e indiscrição a cantora de Mônaco, dona de um vigor invejável e ainda no mesmo pique de três horas atrás. Wilson Carlos, Sérgio Côrtes, Fernando Cavendish, Sérgio Dias e Georges Sadala querem dançar com a jovem – este chega a segurar sua mão, apesar do desconforto dela com a investida.

Sem pedir licença, percorrem o mesmo trajeto do trenzinho. Desta vez, porém, não contam com nenhuma adesão. Há um laço idêntico que detém os guardanapos na cabeça de cada um deles e só o de Sérgio Côrtes não parece feito com aprumo – sua careca está visível. O secretário de Saúde foi o primeiro a colocá-lo e os demais se ajeitaram com a ajuda dele. Logo, estavam desfilando com aquela peça usual em refeições, cuja função original, até então, seria a de limpar dedos e lábios e proteger parte do vestuário.

A ideia partiu de Sérgio Côrtes, impondo-se como médico acostumado a usar toucas cirúrgicas. Os guardanapos, retirados de cima de uma mesinha, ao lado de talheres não utilizados no jantar, estão limpos, asseados.

Assim como não se usam bonés ou chapéus de palha nos pés, meias nos cotovelos e luvas nos joelhos, existe um consenso entre os serviçais do banquete de que alguma coisa está fora da ordem com os guardanapos da casa. Mas limitam-se a observar aquela extravagância, provavelmente inédita na mansão de Theresa Lachmann.

Os cinco criam coreografias, esticam os braços e dobram as pernas.

– *Vive la France!* – grita Sérgio Côrtes, divertindo-se ao empurrar cadeiras para ter mais espaço para dançar.

Adriana e o governador não querem mais saber de festa, nem de guardanapo. Distribuem os últimos beijos e abraços, e são avisados que o motorista já está a postos, na Champs-Elysées. Voltam para o hotel na Mercedes S600.

Sem o casal protagonista de uma noite de desatinos, em poucos minutos todos saem de cena. Não há, porém, informações sobre o destino dos guardanapos – se foram devolvidos ou se ganharam o status de *souvenir*. Entre os comensais que não caíram na tentação de pagar mico na grande festa do governador, há pelo menos duas testemunhas de uma ação ainda mais ousada da turma do guardanapo. Georges Sadala e Wilson Carlos teriam subido à mesa para dançar, e acabaram advertidos por um dos maîtres, estupefato:

– Pardon, monsieur, est-ce que vous pouvez descendre? Ce n'est pas permit. Descendez, s'il vous plaît.

Algumas semanas após a divulgação das fotos do evento, em abril de 2012, Sérgio Côrtes, abordado por um jornalista do Rio, com cargo de chefia em redações importantes do país, explicaria assim o gesto dos guardanapos:

– Foi uma brincadeira. Falei na hora: "vamos operar". Estávamos operando.

A declaração traz um sentido ambíguo. Côrtes, especializado em cirurgia ortopédica, tem no currículo inúmeras intervenções delicadas em várias casas de saúde da Zona Sul do Rio. Outros, do grupo próximo a Cabral, são *experts* em operações financeiras – muitas nada republicanas.

Em junho de 2018, em entrevista à revista "Veja", Sérgio Côrtes daria outra versão para o episódio: "O evento tinha vários empresários, era sério. Mas todo mundo bebeu muito. De repente, começou uma musiquinha ao vivo. Aí me veio a ideia de dançar com um guardanapo na cabeça. Acho que tinha visto uma cena dessas em 'Pulp fiction', do Tarantino. Falei do filme com o pessoal da mesa, começamos a brincar e outros se juntaram. Não deveria ter feito isso. Era uma festa, perdemos o limite."

Côrtes se referia ao momento de "Pulp fiction" em que os personagens de Uma Thurman e John Travolta dançam ao som de "You never can tell", de Chuck Berry. No filme, porém, ninguém põe guardanapos na cabeça.

Capítulo 19
O DIA SEGUINTE

O céu está ligeiramente nublado e grupos de turistas asiáticos, ainda não dependentes de GPS, seguem em cortejo, com seus mapas rasurados, em busca de prédios tombados pelo Patrimônio Histórico Mundial. O movimento na Champs-Elysées é normal para uma terça-feira de setembro, e o comércio já começa a iluminar o trabalho artesanal dos vitrinistas de Paris. Ali perto, na Rue de Faubourg Saint--Honoré, alguns hóspedes do Le Bristol são convidados para uma ligeira degustação matinal. Enquanto isso, um torpor invade uma das suítes mais caras daquele hotel-palace.

Uma dorzinha muscular e um pequeno desconforto são sequelas residuais de uma noite que atingiu seu clímax de madrugada, com vários guardanapos dançando com homens na cabeça (opa! Cabral ainda está meio confuso e troca a ordem das palavras). Ele e Adriana não chegaram a se fantasiar, mas é impossível saber quantas taças de vinho repousaram em suas mãos antes, durante e depois do jantar que lhes foi oferecido pelo barão Gérard de Waldner. De todo modo, a terça-feira também é dia de compromissos oficiais. Daqui a pouco, o comitê de campanha da Rio 2016 realiza nova reunião técnica – aproxima-se a data da eleição da sede dos Jogos Olímpicos – e Cabral quer conferir todos os itens em pauta.

A lerdeza dos primeiros movimentos é subtraída à segunda xícara de café. O governador já está recomposto e, em alguns minutos, dirige-se para o encontro com Carlos Arthur Nuzman no Hotel Prince de Galles. A equipe do presidente do Comitê Olímpico Brasileiro está desde cedo diante de computadores e de documentos impressos, e cumpre o cronograma. Cabral volta a conversar com vários do grupo, faz uma e outra pergunta e, às vezes, se deixa levar pelas lembranças do evento da véspera.

– Gostou, Nuzman? Eu estou acabado. Mas valeu, valeu muito. Todo mundo saiu de lá satisfeito, o jantar foi espetacular.

Já debruçado em pastas cheias de papéis da candidatura do Rio, o dirigente esportivo avalia os comentários de Cabral e repete a última palavra dele como se estivesse separando as sílabas:

– Es-pe-ta-cu-lar – diz, fazendo um círculo com o polegar e o indicativo da mão direita e movendo o braço para realçar o adjetivo.

Desta vez Lula não telefona e Cabral refaz o ritual do dia anterior, quando cumprimentou, um a um, todos os que trabalham pela Rio 2016 e estão ali, liderados por Nuzman. Horas mais tarde, o governador tem outro evento importante. Vai à Embaixada do Brasil em Paris para o lançamento do "Guia Michelin Rio". Sua assessoria já o informou que há uma entrevista programada para depois dos discursos de praxe. O contato com a imprensa se dá sem nenhum percalço. Sobre as homenagens da véspera, dia da entrega da medalha da Legião de Honra e do banquete, nenhuma pergunta.

O governador exulta ao falar da edição Rio do "Guia Michelin" e responde a algumas questões pontuais relacionadas ao estado. Ele critica a Justiça por ter autorizado um traficante de drogas a deixar o presídio para trabalhar durante o dia, com a obrigação de dormir num albergue, mas que logo no primeiro dia descumpriu o acordo.

– Esse episódio serve para uma reflexão sobre a legislação condescendente com assassinos e bandidos de toda espécie.

No mesmo pacote de respostas, rechaça protestos de motoristas de vans que estariam proibidos de trabalhar na informalidade:

– Quem não gosta de legalidade é bandido.

Sobre o "Guia Michelin", lançado pela primeira vez em 1926, Cabral tece breves e entusiasmados comentários, enquanto folheia um exemplar. Destaca que o Rio se tornou o primeiro destino da América do Sul a entrar na relação de países chancelados pela "bíblia do turismo mundial":

– Trata-se de uma bela contribuição para a candidatura do Rio no Comitê Olímpico Internacional e certamente vai trazer muitos turistas estrangeiros para a cidade.

Desinibido, como de costume, Cabral volta-se para o diretor-geral de Mapas e Guias da Michelin, Christian Delhaye, ao notar que seu bairro, o Leblon, não figura na lista dos locais recomendados. Nem sequer recebeu uma estrela na cotação do Michelin. Já Ipanema foi contemplada com duas estrelas.

– Oh, Christian... Como é que eu vou dizer pros meus

vizinhos lá do Leblon que o meu bairro é um zero à esquerda? Você está de sacanagem, né?

Os minutos de confraternização não se estendem, até porque o diretor da Michelin fica meio perdido com a troça de Cabral e parece perguntar a auxiliares o que significa zero à esquerda. O governador quer descansar. No dia seguinte voltará ao Rio. Antes de sair da embaixada, comete uma indiscrição com um de seus secretários de estado:

– Foi muito divertido, né? Falei pra Adriana que se eu fizesse um exame de sangue hoje ia dar pra repor umas três garrafas de Barca Velha e Moët & Chandon. E aqueles malucos? Não vi ninguém ainda. Nem sei se estão vivos.

Capítulo 20
A QUEDA DO HELICÓPTERO

A Farra dos Guardanapos, como segredo de um *petit comité*, sobrevive incólume por quase três anos. Só começa a ser desvendada em 27 de abril de 2012, dez meses depois da queda de um helicóptero, que deixou sete pessoas mortas, no litoral de Porto Seguro, na Bahia, em 17 de junho de 2011. Fato que teve desdobramentos imprevisíveis. Entre as vítimas, duas crianças: Gabriel Kfuri Gouveia, de 2 anos, e Luca Kfuri de Magalhães Lins, de 3. O primeiro é filho de Fernanda Kfuri e Bruno Gouveia, vocalista da banda Biquíni Cavadão – o casal estava separado. O outro, filho de Jordana Kfuri e do empresário José Luca Magalhães Lins, que também não viviam mais juntos.

As duas irmãs, Fernanda e Jordana, viajavam na aeronave. Completam a lista o piloto Marcelo Mattoso Almeida; a babá das crianças, Norma Batista de Assunção; e Mariana Noleto, namorada de Marco Antônio, filho de Sérgio Cabral. Todos seguiam do Centro de Porto Seguro para um resort de luxo numa praia de Trancoso. Uma viagem curta, no máximo de 15 minutos. Participariam da festa de aniversário de Cavendish, casado com Jordana. O menino Luca era enteado dele. Como havia um número de pessoas acima da capacidade do helicóptero, decidiu-se por duas viagens até o resort. Ficou combinado que o primeiro grupo levaria mulheres e crianças. No outro voo, iriam Cabral, Marco Antônio e Cavendish.

Mal decolou, o helicóptero seguiu no meio de um denso nevoeiro e sob chuva. A visibilidade era quase nula. O aparelho até estava capacitado para pousar na água com infláveis. Mas, de acordo com o Cenipa (Centro Nacional de Prevenção de Acidentes), a aeronave buscou uma trajetória que, sem horizonte ou referência, a levou a mergulhar no mar em grande velocidade. Exceto Fernanda, que sobreviveu por algumas horas, todos os ocupantes morreram com o impacto.

Em 2013, a Justiça arquivou o inquérito sobre o acidente. O piloto Marcelo Almeida seria considerado culpado: estava com sua licença de voo vencida desde julho de 2005.

A tragédia expôs uma relação umbilical entre Sérgio Cabral e Fernando Cavendish – o público e o privado mimetizados sem cerimônia. A rede de cumplicidade do governador se estendia a outros empresários poderosos, como Eike Batista, o homem de 7,5 bilhões de dólares, o mais rico do Brasil e o sétimo mais rico do mundo em 2009, segundo a revista "Forbes".

A Delta, até então, notabilizava-se como uma das maiores prestadoras de serviço do estado, cujos contratos celebrados desde 2007 com o Rio já haviam rendido ao caixa da empreiteira cerca de R$ 1,5 bilhão. Somente três dias após o acidente, o governo do Rio admitiria que Cabral e Cavendish teriam viajado para o sul da Bahia num jatinho particular de Eike – o empresário havia doado R$ 750 mil para a campanha de reeleição de Cabral em 2010 e estava à frente de projetos de diferentes portes no estado. Um deles dizia respeito à doação de R$ 40 milhões para a criação de novas Unidades de Polícia Pacificadora.

Não tinha sido a primeira vez que Cabral recorria a Eike Batista para cumprir sua agenda. Em 28 de setembro de 2009, às vésperas da escolha do Rio como sede da Olimpíada de 2016, o governador seguiria para Copenhague, na Dinamarca, num jatinho emprestado pelo empresário. Estava com Adriana Ancelmo e seus dois convidados, Eduardo e Cristine Paes. Questionado, à época, defendeu-se e disse que não via conflito de interesses: "Eike Batista é um dos principais financiadores privados da candidatura do Rio. A meu pedido, ele já fez duas doações, no valor total de R$ 23 milhões. Tínhamos um almoço com o presidente da Fifa *(Joseph Blatter)* na segunda-feira *(dia 28)*, no Rio. Liguei e pedi diretamente. Se não fosse assim, não daria tempo".

Ainda em relação à viagem a Copenhague, o governo seria econômico nas informações sobre quem estaria na Dinamarca em nome do estado. Eduardo Paes divulgaria o nome de todos os 12 integrantes da prefeitura presentes naquele país, em missão oficial, com detalhes sobre o valor das diárias de cada um.

A opção de embarcar para a Dinamarca no jato de Eike teve um custo relativo para a imagem de Cabral. Em 30 de setembro de 2009, o deputado estadual Luiz Paulo Corrêa da Rocha (PSDB), presidente do Conselho de Ética da Assembleia Legislativa do Rio, faria críticas ao governador, endossada por outros parlamentares de oposição. Mas tudo se dissolveria com a vitória brasileira em 2 de outubro.

Um ano depois, em 2 de dezembro de 2010, Cabral

voltaria a pedir o jato de Eike e viajaria para as Bahamas novamente nas asas do bilionário para um encontro com Cavendish.

Pedir virou verbo cada vez mais conjugado no Palácio Guanabara, por conta da sede do governador de faturar em cima de empresários que têm contratos com o estado. Em entrevista a Ascânio Seleme, publicada em 11 de fevereiro de 2018 em "O Globo", Eike Batista reclamaria que deu dinheiro para campanhas de Cabral, sem contrapartida. "Nem isenção fiscal ganhei. Sérgio Cabral era um pidão. Aquele acidente horroroso na Bahia interrompeu um lado disso. Por causa do acidente, avisei que nunca mais emprestaria meu avião para políticos."

Essa fama de Cabral já tinha sido explorada por Cesar Maia, em setembro de 1996, no calor da campanha pela sua sucessão. O então prefeito do Rio espalhou que o candidato do PMDB, a quem batizara de "suco de água", precisava de R$ 12 milhões para disputar o cargo e que, para isso, listou 12 empresários a fim de pedir R$ 1 milhão de cada um.

Sérgio Cabral negou esse mecanismo de arrecadação. Sua fama de pidão, porém, se alastrou até entre os próprios parentes. Um empresário amigo de Cabral testemunhou a reação do político quando Sérgio Cabral pai e dona Magaly aportaram no Palácio Guanabara durante um dia normal de expediente, no segundo semestre de 2009. Avisado pela secretária da presença de seus pais, Cabral pediu ao amigo que só saísse dali quando os visitantes fizessem o mesmo. Isso provocou uma indagação óbvia:

– Por quê?

– Porque os dois vão me pedir emprego pra um monte de gente. Sambistas, músicos, essa turma aí... Com você aqui na sala, eles devem ficar mais acanhados na demanda.

E foi exatamente assim.

Bem antes, em 2 de março de 2008, na coluna de Ancelmo Gois em "O Globo", Sérgio pai deu a sua versão para os encontros oficiais com o filho. Numa festa no Clube dos Marimbás, em Copacabana, sentiu-se desconfortável ao ser abordado por um convidado. A conversa fluía com um objetivo definido. O veterano jornalista, pressentindo o desfecho, encerrou logo o papo: "Não adianta falar comigo. Eu não tenho prestígio com meu filho, felizmente. Toda vez que lhe peço algo, ele me manda falar com uma secretária".

A influência crescente de empresários como Cavendish nos negócios do estado, que se tornaria pública logo após a queda do helicóptero, também deixaria cicatrizes profundas na vida política de Cabral. Em entrevista ao programa "Roda viva", da TV Cultura, em 27 de junho de 2011, ainda sob o calor das suspeitas contra o governador, Sérgio Cabral pai se referiria assim às críticas contra seu filho: "Estou absolutamente solidário com ele e convencido de que foi o melhor governador que o Rio de Janeiro já teve. Conheço muito bem meu filho, sei que é uma pessoa honesta, honrada". Na sequência, o pai também falaria da cobertura da imprensa sobre o acidente e seus desdobramentos: "É uma aflição acordar, pegar os jornais e encontrar aquelas chateações".

Os dias de sofrimento e luto reaproximariam Cabral de Adriana. A relação sofria desgastes por causa de crises de ciúmes da primeira-dama – reações que Cabral transformava em piadas quando reunia os amigos. O acirramento, porém, teve outro motivo: a tentativa de Adriana de emplacar um advogado de seu escritório, Rodrigo Cândido de Oliveira, como ministro do Superior Tribunal de Justiça. Para isso, precisava do apoio de Cabral. Ele, no entanto, preferiu bancar a indicação do chefe de sua Casa Civil, Régis Fichtner, que agia nos bastidores para que a vaga ficasse com o cunhado, Marco Aurélio Bellizze, que acabou sendo o escolhido. Adriana não aceitou a derrota, brigou com o ex-professor, o que provocou uma crise no PMDB do Rio, e resolveu se separar do governador.

Mas Cabral já não era mais unanimidade e estava na berlinda também nos meios políticos. O deputado estadual Marcelo Freixo (PSOL) cobraria explicações sobre suas relações com empresários: "Não fica bem o governador aparecer em festinhas de empreiteiros. Com todo o respeito à dor dos familiares e amigos das vítimas do acidente na Bahia, se faz necessário que o agente público se explique numa situação como essa".

Acuado, Cabral usaria poucas palavras para se justificar nos meses seguintes, nas entrevistas em que se via obrigado a abordar o tema. Era comedido, tentava disfarçar o desconforto, e sintetizava sua defesa quase sempre com o mesmo argumento: "Nunca misturei relações pessoais com decisões públicas".

Negava os favorecimentos com veemência. Sustentava-se na crença de que o impacto da tragédia ofuscaria investigações. De certo modo, não estava errado. O erro ali era outro, cometido lá atrás, em 14 de setembro de 2009, na Farra dos Guardanapos. Ali, sim, a exposição de vínculos promíscuos tenderia a ser mortal para o político que almejava a presidência da república. E isso se deu com a divulgação das fotos do evento realizado no número 25 da Champs-Elysées.

Capítulo 21
A FARRA DE GAROTINHO

O dia 27 de abril de 2012 apresenta ao mundo a façanha do ativista chinês cego Chen Guangcheng. Em prisão domiciliar na província de Shandong, despista os guardas e protagoniza uma fuga cinematográfica. Condenado por sua militância contra medidas rígidas da China pelo controle de natalidade, Chen finge-se vítima de uma doença que o deixa várias horas por dia de cama. Isso afrouxa a vigilância. Na noite em que escapa, ao notar a displicência das sentinelas, pula um muro de dois metros sem ser percebido e conta com a ajuda de amigos para sair do quarteirão. Dali, ele viaja 500 quilômetros até o novo lar – a embaixada dos Estados Unidos em Pequim.

Naquela mesma data, do outro lado do mundo, há notícias mais pontuais. Um grupo de médicos é indiciado no Recife por vender botox falso. No Rio, dez patos somem misteriosamente do Parque Guinle, nas imediações do Palácio Laranjeiras, e não há pistas de suspeitos – embora o prato preferido de Sérgio Cabral seja arroz de pato. Mas não é só isso. Em seu apartamento no Flamengo, Zona Sul carioca, o ex-governador do Rio, Anthony Garotinho, está agitado. Não pensa em pular muro nenhum, tampouco pedir asilo aos Estados Unidos. Tem insônia e faz questão de mantê-la.

– Santa Rosinha, veja isso!

Ao lado da esposa, ele acaricia um pen drive como quem embala uma criança recém-nascida. Garotinho está em poder de um dispositivo que vai provocar uma reviravolta no destino político, e pessoal, de seu arquirrival Sérgio Cabral. Casado desde 1981 com Rosinha, aquela que Cabral gostava de imitar com gestos caricatos, transfigurando-lhe a face e a apresentando como marionete do marido, Garotinho mostra à esposa uma parte do conteúdo explosivo que lhe chegara às mãos na véspera. Ele se move de um lado para outro, irrequieto, como uma ave de rapina faminta que inicia a caçada.

Fala alto, ergue os braços num gesto típico de um torcedor na hora do gol. Rosinha pede que se controle. Mas ela também está nervosa, solta gargalhadas e os dois se abraçam e se beijam. Por vários anos, Garotinho e Cabral travam uma disputa como se estivessem diante de um tabuleiro de War, um jogo de estratégia cujo objetivo é dominar o globo. O político de Campos dos Goytacazes parece ter retirado de um montinho de cartas uma que é bem específica: aniquilar Sérgio Cabral. Há reciprocidade e os dois ex-aliados se enfrentam com malícia e deslealdade. No melhor estilo Tom & Jerry.

Essa beligerância tem um histórico de idas e vindas. Cabral recebeu o apoio de Garotinho e Rosinha para sua candidatura em 2006. Mas isso vaporizou no início de 2007. Antes, quando Garotinho era o governador e Cabral, deputado estadual, os dois viveram outras situações extremas. Em abril de 1999, no início das investigações sobre uma "caixinha" de donos de ônibus a políticos fluminenses, Garotinho recebe Cabral e outro deputado do PMDB, Jorge Picciani, em seu gabinete, no Palácio Guanabara. A reunião tem o objetivo de definir os rumos da Secretaria de Transportes do estado. Entretanto, uma discussão intensa a interrompe. Garotinho levanta-se da mesa que pertenceu a Getúlio Vargas e diz que prefere entrar na história de outro modo – isento de acusações de ser um dos beneficiários do esquema.

Em minutos, Garotinho decide expulsá-los dali – o segundo cartão vermelho de Sérgio Cabral até então; o outro é de seu tempo de secundarista, de presidente do grêmio estudantil do Colégio Mallet Soares, em Copacabana. Anos mais tarde, em 24 de novembro de 2017, com ambos presos na cadeia pública José Frederico Marques, em Benfica, Zona Norte do Rio, Garotinho diria ter sido vítima de agressões dentro de sua cela por um homem que não havia identificado e as atribuiria a Cabral.

O pen drive está com Garotinho e ele trata de copiá-lo. Rosinha também já perdeu o sono. Os dois agora estão com os olhos vidrados na telinha do computador, ao lado de xícaras de café sem açúcar. Em seu blog pessoal, Garotinho divulga naquele mesmo 27 de abril as primeiras fotos da Farra dos Guardanapos: "Cabral, seus amigos e secretários zombam do povo, das instituições, se comportam como uma dessas delegações de ditadores de republiqueta que vão para Paris torrar o dinheiro que roubam de seus países, e que se esbaldam, sem nenhum modo, pagando micos inacreditáveis depois de encherem a cara".

Duas das imagens mostram Fernando Cavendish, Wilson Carlos, Sérgio Côrtes, Georges Sadala e Sérgio Dias com guardanapos na cabeça. Na legenda das fotos, Garotinho escreve que os três primeiros dançavam "na boquinha da garrafa" – alusão à música que deu nome ao álbum lançado pelo grupo Companhia do Pagode, em 1995. Mais abaixo, há outras duas fotos em que Cabral está ao lado de empresários, alguns de seus secretários e outros convidados para o jantar. O grupo está na Champs-Elysées, bem próximo do local da festa.

Mais fotos vão sendo publicadas aos poucos por Garotinho. Ele teria a sua disposição dezenas de imagens de Cabral e sua turma em Paris. Estranhamente, omite uma delas, na qual aparece o executivo Benedicto Júnior, presidente da Odebrecht Infraestrutura. Em reportagem de Thiago Prado, publicada em 28 de janeiro de 2018 no jornal "O Globo", Garotinho contou que a tal foto não estava na leva a qual teve acesso num primeiro momento. Não explicou, porém, por que nunca a divulgou em seu blog.

Preso em fevereiro de 2016 pela Operação Lava-Jato, Benedicto fecharia acordo de delação premiada, na qual revelaria que Garotinho e Rosinha receberam R$ 12 milhões da Odebrecht, via caixa dois, em pelo menos quatro campanhas eleitorais. No sistema criado pela empreiteira para gerir os pagamentos, Garotinho apareceria como Bolinha, Rolinho e Pescador. O casal negou envolvimento nesses repasses ilegais da empresa. A Lava-Jato teve início em 2014 com investigações da Polícia Federal que visavam desvendar um esquema de lavagem de dinheiro que movimentou bilhões de reais em propinas pelo país afora.

Naqueles primeiros dias de maio de 2012, Garotinho saboreia a vingança. Numa de suas publicações, diz que há fotos do jantar de Cabral inapropriadas até mesmo para o blog. A situação de Cabral vai se tornando dramática. A cada nova postagem de Garotinho, a popularidade do governador despenca. Entre os aliados do chefe do Palácio Guanabara há uma inquietação clara e muito constrangimento. Vários ali se perguntam como aquele material foi parar nas mãos de Garotinho. Algumas versões correntes tentam explicar o enigma.

* * *

Cria político do ex-governador Leonel Brizola, Anthony Garotinho herdou alguns de seus hábitos. O velho caudilho vigiava a própria sombra, de tão desconfiado, e costumava atender ao telefone com a voz disfarçada, identificando-se como assessor dele mesmo. Fez isso, por exemplo, com um repórter de "O Globo" nos anos 80. Mais tarde, já trabalhando no jornal "O Estado de S. Paulo", o jornalista relembraria da história: "O Brizola estava numa propriedade rural dele na cidade de Durazno, no Uruguai. Entrei na brincadeira e deixei recado para o 'governador'."

O autor deste livro telefona para o celular de Anthony Garotinho às 16h21 de 20 de março de 2018, a fim de agendar uma entrevista com o detentor daquele acervo bombástico de fotos da Farra dos Guardanapos. Do outro lado da linha, uma voz idêntica à do ex-governador. Mas, numa fração de segundos, depois de não descobrir quem tenta o contato, o interlocutor passa a falar num tom empostado e se identifica como assessor do político. Não há o que fazer, apenas deixar um recado para o "governador".

No dia seguinte, um ex-secretário de estado do governo Garotinho, e amigo pessoal dele, explicaria que aquele era um costume antigo do político:

– Ele faz isso o tempo todo.

Apesar da insistência para uma entrevista, nem Garotinho nem seu "assessor" dariam retorno.

* * *

Por meses, até entre os mais envolvidos nessa trama da divulgação das fotos, prevalece uma explicação que soa para alguns como conclusiva. A família de Jordana e Fernanda, as duas irmãs que morreram na queda do helicóptero em 17 de junho de 2011, teria tido acesso às fotos em arquivos pessoais de uma delas e, disposta a tornar público o conúbio de Sérgio Cabral com Fernando Cavendish, resolve liberá-las para o maior opositor do governador.

É preciso, no entanto, dar crédito a algumas manifestações da irmã de Jordana e Fernanda, a arquiteta Garna Kfuri, nas quais ela refuta a hipótese de sua família, traumatizada com a tragédia, ter se ocupado em dar publicidade àquelas fotos. Em entrevista a Flávio Tabak, publicada na edição digital de "O Globo" em 3 de maio de 2012, Garna negou ter tido acesso a arquivos de Jordana: "Quando minha irmã faleceu, pedi para o Fernando *(Cavendish)* as fotos dela. Ele fez um DVD com fotos da Jordana, dela com as meninas *(filhas gêmeas fruto do casamento com Cavendish)*, mas a gente nunca teve acesso ao computador da Jordana. Fernando empacotou as coisas pessoais da minha irmã e despachou para Concórdia *(onde vive a mãe, em Santa Catarina)*. Não veio nada de computador, nada de foto", conta Garna, que respondeu sobre rumores de que as fotos teriam vazado pela família: "É o mais fácil de se deduzir, né? Não precisa ser um gênio pra mandar uma dessa. A verdade é que a minha irmã enviava muitas fotos e vídeos, mas dos filhos dela. Ficava mandando essas coisas, mas nunca comentou comigo sequer uma coisa do Fernando, de trabalho."

As filhas gêmeas mencionadas acima, Fernanda e Catarina, não estavam no helicóptero que caiu em Porto Seguro. Garna também rechaçaria a possibilidade de que seu ex-cunhado, José Luca Magalhães Lins, pai do menino Luca, vítima do acidente, e que fora casado com Jordana, estivesse por trás daquela operação. Dono da rede de academias Pró-Forma, no Rio, e de um clube de futebol da divisão principal do estado, o Boavista Sport Club, da cidade praiana de Saquarema, José Luca morreria de câncer em 30 de novembro de 2012. A doença se agravara após a tragédia com o filho.

Com isso, ganhariam força as declarações de Garotinho à jornalista Daniela Pinheiro, publicadas na edição de 24 de outubro de 2013 da revista "Piauí". Segundo ele, as fotos foram copiadas do computador de Jordana Kfuri, mulher de Cavendish, por um amigo dela, que responsabilizava o empresário e Cabral pelo tratamento dado aos parentes das vítimas. "Por coincidência, esse sujeito estudava na mesma faculdade de um funcionário do meu programa de rádio, na Manchete. Aí, ele deu o arquivo para o meu funcionário, que me trouxe o pen drive. Quando eu abri as fotos, eu não acreditei", disse à revista o ex-governador.

Em maio de 2012, Garotinho registra o crescimento vertiginoso de acessos ao seu blog. Ele explora com astúcia aquele escândalo e passa a publicar novas imagens do banquete em intervalos regulares. No primeiro dia do mês, são exibidos flashes do evento em que Cabral dança animadamente com Wilson Carlos, enquanto Sérgio Dias se esbalda na pista. A publicação do blog no feriado do Dia do Trabalho exibe Julio Lopes com um microfone e uma foto em que a turma do guardanapo dança ao lado da cantora oficial da festa. Na sequência, em 10 de maio, há outros flagrantes dos homens de olhos arregalados que amarraram guardanapos na cabeça.

O estrago para Cabral é irreversível. Muito nervoso, descontrola-se com seus auxiliares e tenta entender como aquele arsenal foi parar logo nas mãos de Garotinho. Num primeiro momento, reúne seus assessores no gabinete do Palácio Guanabara e convoca os que cuidavam de sua imagem no evento. Está enfurecido:

– Que merda é essa? De quem são essas fotos? Eu exijo uma explicação! – grita, dando socos em sua mesa.

Estão todos tensos e o governador está transtornado. Então, um dos assessores refresca a memória de Cabral, ao lembrar da autorização que ele dera para que uma de suas convidadas continuasse fotografando os momentos mais animados do jantar na Champs-Elysées. O governador põe a mão no queixo, toma um café atrás do outro e se esforça para recordar o incidente. Não se dá por satisfeito e passa a examinar as imagens da viagem guardadas pela assessoria.

Confrontando o material com o que vem sendo postado por Garotinho, ele desvenda os lugares ocupados pelos personagens na hora dos flashes, o ângulo, o enquadramento, a dimensão e o tipo de câmera que produzira as fotos em poder do ex-governador. Cabral e os assessores já sabem de que parte do salão as cenas foram captadas. A etapa seguinte é identificar, com a ampliação das imagens, quem estaria no entorno das mesas. Um trabalho meticuloso que leva mais de uma hora.

Depois de análise minuciosa, com anotações dos nomes e da posição dos convidados, parece não haver mais dúvidas – as fotos entregues a Garotinho são daquela mulher que não só ignorou a advertência dos assessores de Cabral para que guardasse a câmera, como foi até o governador fazer queixa deles. Com os olhos avermelhados, sinal de estresse, de noites mal dormidas, Cabral quer saber se existem fotos mais comprometedoras ainda do jantar em Paris. Seu tom de voz agora é murcho.

Combalido, tem o olhar fixo num dos pontos do gabinete, como se buscasse através das janelas o jardim interno do palácio. Bebe água e dispensa os assessores. Sozinho, amarga o prenúncio de uma tempestade que não teria mais fim. Naquele dia, não se distancia dos portais de notícia. Quer checar a repercussão na mídia da pior crise dos seus cinco anos de governo. É o início de sua derrocada.

* * *

Desde abril de 2012, a Farra dos Guardanapos passaria a fazer parte do folclore político do Rio. Passeatas organizadas por partidos, protestos como os ocorridos ao longo de 2013, ou o que se daria no dia da prisão de Sérgio Cabral, em novembro de 2016, marchinhas e fantasias em blocos de carnaval; tudo seria motivo para que se lembrasse das cenas da noite parisiense. Em 2018, a escola de samba Beija-Flor levaria à Marquês de Sapucaí um enredo crítico à corrupção, em que se destacava uma ala de 80 foliões com ternos pretos e guardanapos na cabeça. A escola sagrou-se campeã.

Numa das poucas declarações em defesa dos protagonistas da Farra dos Guardanapos, o prefeito Eduardo Paes se solidarizaria com o secretário de Urbanismo do município, Sérgio Dias: "Eu boto a mão no fogo por todos os meus secretários. Boto a mão no fogo até que haja comprovação de que fizeram algo de errado. Se tiver, demito no dia seguinte", declara, em entrevista ao noticiário "RJ-TV – 2ª edição", da Rede Globo, em 21 de agosto de 2012.

Ao endossar que "nunca é boa" muita intimidade entre um administrador público e representantes do setor privado, Paes explicaria que Sérgio Dias não desfrutava de poder de decisão sobre obras no Rio: "O secretário não tem relação com as obras que a prefeitura realiza. Além disso, os contratos são transparentes e não há denúncias graves contra o meu governo".

Naquele momento, havia contratos em curso entre a Delta, de Cavendish, o governo do estado e a prefeitura. A empreiteira estava à frente da Transcarioca – corredor expresso que ligaria a Barra da Tijuca ao Aeroporto do Galeão.

Julio Lopes, por sua vez, diria que não ficou desconfortável com a publicidade que as fotos ganharam: "Não fiquei constrangido. De forma alguma. Nós estávamos fazendo um trabalho valioso para a divulgação da cidade e para o próprio desenvolvimento do estado. Estávamos em um evento muito importante, com os maiores empresários franceses", disse ao jornal "O Globo", no dia 5 de maio de 2012. Lopes cobraria de Garotinho a menção a outros nomes presentes naquele banquete oferecido a Sérgio Cabral: "Ele esqueceu de citar que também estavam lá muitas autoridades".

Em defesa de Cavendish, a Delta emitiria um comunicado, no dia da publicação das primeiras fotos, justificando tratarem-se de "minutos de descontração entre empresários e pessoas que ocupam postos públicos e têm convívio social".

Capítulo 22
COMEÇO DO FIM

No início de 2012, a Polícia Federal fecha o cerco sobre o contraventor Carlinhos Cachoeira, acusado de comandar um esquema milionário de exploração de máquinas caça-níqueis em Goiás, e consegue prendê-lo, em sua casa, na capital do estado. As investigações ligam Cachoeira à Delta. Dois dias antes de Garotinho acionar o botão vermelho e publicar as fotos da Farra dos Guardanapos, o ex--diretor da Delta no Centro-Oeste, Cláudio Abreu, também é preso em Goiânia, apontado como um dos parceiros de Cachoeira na organização criminosa.

Talvez ali, em 25 de abril de 2012, Sérgio Cabral observasse apenas à distância os estilhaços caindo no colo de Cavendish. De todo modo, quando as imagens da Farra dos Guardanapos ganham vida própria, já havia labaredas no Palácio Guanabara. A amizade de Cabral e Cavendish se esfarela.

Em janeiro de 2013, aumenta a pressão para que o governador recue da decisão de demolir a Aldeia Maracanã – onde funcionou por duas décadas o Museu do Índio – para transformá-la em estacionamento do novo Maracanã, que está sendo reformado para a Copa do Mundo. As ações previstas para o seu entorno incluem ainda a destruição do Estádio de Atletismo Célio de Barros e do Parque Aquático Julio Delamare. O discurso é de que tais medidas atenderiam a demandas da Fifa para a realização do evento, em 2014. Uma falácia.

Entidades saem em defesa da Aldeia; com o apoio de atletas renomados, associações esportivas se movimentam para evitar que as duas arenas desapareçam. Os protestos crescem no Rio e o principal alvo é Cabral. As manifestações atingem o seu auge na Copa das Confederações, em junho de 2013, e têm uma plataforma muito mais abrangente: começaram como um movimento no Rio e no Rio Grande do Sul por tarifas mais baratas de transporte público. Expandiram-se com rapidez pelo país.

Na capital carioca, a preservação das duas arenas esportivas e da Aldeia Maracanã, o fim da violência policial e a punição para políticos corruptos, além das críticas aos gastos excessivos com a Copa e a Olimpíada, se somam nos protestos de rua. A população direciona sua indignação ao governador, o político que escondia debaixo de guardanapos uma rede de malfeitos, responsável pelo desvio de uma fortuna que deveria ser destinada a serviços públicos.

Até o primeiro trimestre de 2018, o Ministério Público Federal (MPF) já havia determinado a devolução de R$ 240 milhões, de bens pertencentes a Cabral, para os cofres do estado.

Ainda na plenitude do deslumbre, indiferente aos tempos nada favoráveis e adotando um estilo "tô nem aí", Adriana não perde a pose. Em maio de 2013, ao voltar de

Paris, desta vez sem o marido, desembarca no Rio, serena e desafiadora. No setor de averiguação de bagagens do aeroporto internacional, fiscais da Receita checam suas sete ou oito malas. Um procedimento de praxe. Dispensam a ela um tratamento igual ao dos demais passageiros.

Da pista do Galeão, Adriana segue de helicóptero para casa. Deixa as bagagens aos cuidados de um assessor. Ao abrir as duas primeiras malas, o funcionário da Receita encontra uma boa quantidade de vinhos caros, que estouravam os US$ 500 fixados em lei. Basta pagar o imposto sobre o valor que excede a cota para ter liberada a carga, o que é feito. Mas falta verificar as outras cinco ou seis malas. Naquele instante, porém, aparece um superior que interrompe a ação:

– Pra que ficar revirando isso tudo, pra achar calcinhas da primeira-dama?

O breve incidente, embora não tenha se tornado público, revela que nem o rei nem a rainha perdem a majestade. Nesta conjunção astral completamente desfavorável, Cabral se vê diante do episódio envolvendo o ajudante de pedreiro Amarildo Dias de Souza, morador da Rocinha, que desapareceu após ser levado à sede da UPP da comunidade, em 14 de julho de 2013. O caso gera uma nova onda de protestos contra o governo e uma enxurrada de críticas às UPPs, até então o cartão de visitas da gestão Cabral.

O governador chega a receber os parentes de Amarildo no Guanabara. Desculpa-se, promete providências. Mas isso não surte efeito. As UPPs se tornam alvo de manifestações mais barulhentas e começam a sucumbir. O discurso de combate à violência vai sendo derrotado. Enquanto a adega do casal é reabastecida, jovens montam acampamento em frente ao prédio do governador, na Rua Aristides Espínola, a meia quadra da orla do Leblon. O apartamento, no quarto andar, tem 400 metros quadrados e é avaliado em aproximadamente R$ 20 milhões.

Os acampados usam máscaras e pedem o impeachment do governador. "Vaza, Cabral" diz uma das faixas fixadas no calçadão do Leblon. A temperatura sobe. Ele ainda tenta ganhar fôlego para a reta final de seu mandato – dezembro de 2014 –, mas já dá sinais de que vai jogar a toalha e chama seu vice, o simplório Pezão. Cabral renuncia em 3 de abril de 2014.

Os tempos são outros. Pesam agora sobre ele depoimentos cada vez mais comprometedores. Cavendish faz um relato minucioso sobre a origem e o destino do polêmico anel de Adriana e dá detalhes à Justiça de um megaesquema de propinas envolvendo o ex-parceiro. Novas denúncias revelam a extensão da rede milionária de corrupção montada pelo grupo de Cabral. O desfecho disso tudo é previsível. Em 17 de novembro de 2016, Sérgio Cabral é preso.

Georges Sadala, um dos mais proeminentes membros da República de Mangaratiba, destaque na Farra dos Guardanapos e apontado pelo Ministério Público Federal como operador financeiro do ex-governador, registra o momento com pesar:

– Galera, hoje o Rio está de LUTO! Acho inoportuno confraternizarmos num clima desses. Vamos remarcar em breve. Abs a todos.

Esse e-mail, com "luto" em letras maiúsculas, em que cancela um evento com os amigos, é apenas uma peça em meio a denúncias que levariam Sadala à prisão um ano depois, em 23 de novembro de 2017.

Adriana também não escapa: em 6 de dezembro de 2016, sob a acusação de receber dinheiro de operações ilegais e de usar seu escritório de advocacia, Ancelmo Advogados, para lavar dinheiro de propina destinado ao marido, é levada para a cadeia de Benfica.

Quase todos os principais personagens da Farra dos Guardanapos se tornam alvos dos desdobramentos no Rio da Operação Lava-Jato e também são presos ou detidos temporariamente. Há mandados de prisão expedidos para Wilson Carlos, Sérgio Côrtes, Régis Fichtner, Marco Antônio de Luca, Aloysio Neves e Benedicto Júnior – todos acusados de participação em esquemas de corrupção no governo do estado.

Nuzman é outro a cair na malha da Polícia Federal. Sobraria até para o empresário Mariano Marcondes Ferraz, filho da baronesa Sylvia Amélia e de seu primeiro marido, Paulo Fernando Marcondes Ferraz. Ele seria condenado em março de 2018 a dez anos e quatro meses de prisão, por envolvimento num esquema de corrupção entre a empresa Decal do Brasil, da qual era representante, e a Petrobras. No caso de Nuzman – e isso vale também para Leonardo Gryner, diretor de marketing da Rio 2016 –, a acusação se baseia em documentos obtidos pelo Ministério Público da França: por meio do empresário Arthur Soares, amigo e vizinho de Cabral em Mangaratiba, o grupo teria comprado por US$ 2 milhões o voto do senegalês Lamine Diack para a escolha do Rio como sede olímpica.

O desdobramento das investigações judiciais atinge o patrimônio de Cabral. A casa de Mangaratiba e a lancha Manhattan seriam confiscadas e postas à venda por ordem da Justiça. Há suspeitas de que Cabral guardaria tesouros de Adriana num cofre fora do Brasil – bens comprados sem nota fiscal na H. Stern e Antonio Bernardo, duas joalherias do Rio. Multadas, ambas recolheriam à Receita a quantia aproximada de R$ 30 milhões por negociar joias com o casal sem dar recibo. Na contabilidade da Antonio Bernardo, Cabral era identificado como "Ramos Filho", numa união de seu sobrenome com o de um ex-assessor, Pedro Ramos, inocentado nas investigações. Já Adriana recebia a alcunha de "Lourdinha".

O governador chegava a utilizar carros-fortes para o transporte de propinas, segundo o MPF, e recebia dinheiro ilícito com naturalidade. Numa dessas ações, estava de toalha amarrada na cintura numa suíte do Goring Hotel, em Londres, quando autorizou a entrada do doleiro Marcelo Chebar com um pacote que continha 10 mil libras. No mesmo instante, Adriana se reunia na suíte com um chef de cozinha, um mordomo e duas camareiras – todos servindo exclusivamente ao casal – para dar as ordens do dia.

*　*　*

Desde o descobrimento de Cabral com as mãos na cumbuca, são raras as manifestações públicas dos que participaram do evento na Champs-Elysées. Uma delas parte do seu secretário de Desenvolvimento Econômico, Julio Bueno. Ele comenta a conduta de Cabral num livro que publicou em parceria com a jornalista Jacqueline Farid, em 2017 ("Rio em transe – No núcleo da crise", Editora Casa do Escritor): "Sua prisão por desvio de recursos públicos é, para a grande maioria dos que trabalharam com ele, de uma inominável tristeza. Sua figura afável, agradável, culta e inteligente não permitia que víssemos o lado revelado pela Lava-Jato e que tisnou a vários companheiros do governo, principalmente os mais próximos, mesmo que não tivessem nada a ver com os desvios".

Para Bueno, o destino de Cabral seria a presidência do Brasil: "Fui testemunha de vários dos seus encontros com lideranças internacionais como Romano Prodi, Tony Blair, Barack Obama, Donald Trump e Nicolas Sarkozy, nos quais seu desempenho nas conversações era brilhante".

Cabral era puro prestígio. Exportou o modelo das UPAs para outros países da América do Sul e recebeu representantes de potências europeias que vieram estudar seus projetos sociais. Criou laços e linha direta com os presidentes da Argentina, Cristina Kirchner, e da Colômbia, Álvaro Uribe. Movia-se pelos continentes com status de representante máximo do Brasil. Daí, não soa absurda a deferência com que os mais próximos o cumprimentavam nos inebriantes minutos de acréscimo do banquete de Paris: *Mr. President*!

Em 11 de novembro de 2013, o MP do Rio arquivou inquérito aberto um ano e meio antes sobre as viagens de Cabral ao Principado de Mônaco e à França em 2009. A alegação: "inexistência de indícios" de ilegalidades.

Capítulo 23
ADEUS, PARIS

É verão na Cidade Maravilhosa. Sérgio Cabral e Adriana Ancelmo estão prontos para o almoço. Antes do prato principal, degustam pequenas porções de queijos Saint Paulin e Chavroux, bolinhos de bacalhau e presunto cru importado de Portugal. Há outros convidados. Abrem o apetite vagarosamente e seguem as etiquetas. Já desdobraram os guardanapos para colocá-los sobre o colo e conversam, cada qual com seu grupo, sobre planos, estratégias e novos projetos.

Na cela de Adriana e Rosinha Matheus há um convívio tenso. Prevalece ali um acordo tácito de tolerância mútua em razão da guerra entre os maridos. O maior desconforto naquele ambiente é o calor. Em outro pavimento da cadeia pública de Benfica, Cabral tem a companhia, por algumas horas diárias, de Jorge Picciani, conhecido como Dom Picciani, o ex-poderoso chefão da política fluminense, que caiu nas garras da Justiça. Anthony Garotinho esteve lá, no prédio, semanas antes, mas ficou menos de um mês.

Quando finalmente a refeição é servida, um silêncio

opressor invade os dois "quartos" gradeados e vigiados por câmeras de segurança. O ritual se repete por alguns dias em novembro de 2017. Mas nem sempre com a fartura de alimentos que chegaram ao presídio, provavelmente por obra de algum mágico. Presídio não é, a princípio, lugar de farra.

Ainda que fosse, não seria nada se comparado ao grande baile de Paris, que custou em torno de R$ 1,5 milhão e, segundo Cabral, foi pago pelo "pessoal da Peugeot". O consumo de champanhes e vinhos de altíssimo padrão naquela noite não pesou no bolso de nenhum contribuinte do Rio. Aliás, Cabral não tinha por hábito coçar o bolso. A polícia, o Ministério Público e a Justiça têm comprovado que o dinheiro que alimentava suas farras ou era público ou era privado – porém desviado do público.

A festa na mansão de Theresa Lachmann simbolizou o apogeu e, anos depois, a ruína de Sérgio Cabral e seus súditos. Estão quase todos endividados com a Justiça. Nem por isso entregam os pontos. Cabral acredita manter-se no controle, ainda que intramuros, cercado de ex-auxiliares, tratados como se ainda fossem seus subordinados.

Por meses, em 2017, ele divide espaço na cela com Wilson Carlos, no posto imaginário de secretário de Governo; um ex-PM, seu secretário particular de Segurança; e Marco Antônio de Luca, que fornecia quentinhas para a administração do estado e elevado no presídio à categoria de chefe das Finanças do "novo governo" Cabral. Conta ainda com os serviços de Sérgio Côrtes, na Saúde, e de Régis Fichtner, responsável por acompanhar e assessorar o "líder do executivo" no campo jurídico.

Em um outro andar, Adriana também tem suas atribuições, mais específicas e de cunho particular – uma delas é suportar a humilhação e o deboche de outras presidiárias, que criam versões novelescas para a história do anel de Mônaco. É obrigada ainda a lidar com o desdém de Rosinha. Beneficiada por uma decisão da Justiça, a esposa de Garotinho sai antes dela da cadeia para cumprir pena em casa. Junta suas coisas, põe tudo numa trouxa e não deixa nem mesmo um pequeno ventilador para a rival.

A Farra dos Guardanapos inspira a Farra do Cineminha e a Farra de Queijos de Benfica, ambas reveladas após denúncias ao Ministério Público do Rio. Em outubro de 2017, um *home theater* com TV de 65 polegadas, avaliado em R$ 8,5 mil, e um acervo de dezenas de filmes seriam "descobertos" na cadeia – caprichos negociados por Cabral. Acabaram doados a um orfanato. Mais adiante há o flagra dos queijos de origem francesa: Chavroux, à base de leite de cabras, e o do tipo Saint Paulin, embalado em bolinhas. Foram encontrados na cela de Cabral, e também na de Adriana e Rosinha. O quilo de cada um pode custar R$ 300. O presunto é mais barato, em torno de R$ 225.

Entre o último baile do Império e o banquete de Cabral na Champs-Elysées, passaram-se 120 anos. Se a história se repete como farsa (ou farra), outro evento dessa natureza, agora, só em 2.129. Resta assim ao ex-governador, para quem tudo era uma grande farra, se agarrar dia e noite a uma profecia de Luiz Fernando Pezão:

– Cabral é a fênix da política brasileira. Renasce das cinzas, sempre.

Saideira
A FARRA EM FOTOS

1. NO SENADO FRANCÊS, entrega da medalha da Légion d'Honneur. Cabral com Carlos Arthur Nuzman e João Havelange

2. NA CALÇADA DA CHAMPS-ELYSÉES, Cabral e seus amigos, momentos antes do banquete

3. ANTES DO INÍCIO DO BANQUETE, Adriana Ancelmo, acompanhada de amigas, exibe a sola do sapato Louboutin. Ela é a primeira à direita, de preto

4. CABRAL SE DIVERTE com um truque do mágico da festa. À esquerda, o barão Gérard de Waldner observa a reação do governador

5. A ANIMAÇÃO JÁ CONTAGIA os comensais. Em sua mesa, Cabral tem a companhia de Eduardo Paes

6. EM OUTRO MOMENTO do jantar, Nuzman conversa. Ao fundo, o casal de dançarinos da festa

7. DISCURSO DE AGRADECIMENTO de Julio Lopes, pouco antes do ponto máximo da festa

8. DA ESQUERDA PARA A DIREITA, Ricardo Cota, subsecretário de Comunicação, Wilson Carlos, Sérgio Cabral e Régis Fichtner

9. CABRAL dança com Wilson Carlos

10. CABRAL SE DIVERTE com Georges Sadala

11. CABRAL E ADRIANA cantam e dançam observados por Benedicto Júnior

12. SÉRGIO DIAS soltinho na pista com a dançarina, com Cabral ao fundo

13. TRENZINHO DA ALEGRIA com Sadala à frente, Sérgio Côrtes e Wilson Carlos

14. CÔRTES À ESQUERDA e, na sequência, Sadala, Fernando Cavendish, Wilson Carlos (encoberto) e Sérgio Dias

15. GEORGES SADALA, Cavendish, Sérgio Dias e Wilson Carlos (da esquerda para a direita)

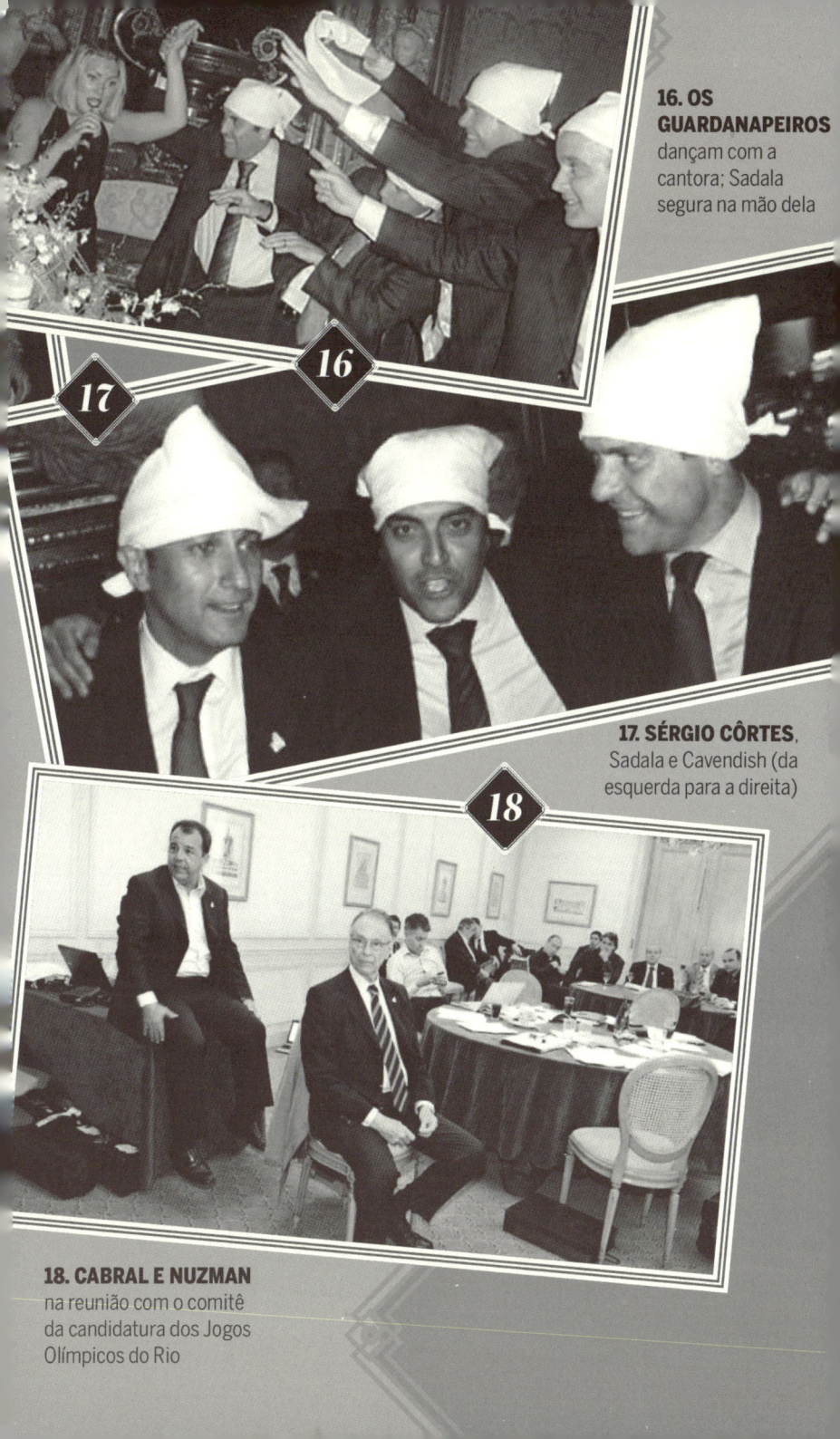

16. OS GUARDANAPEIROS dançam com a cantora; Sadala segura na mão dela

17. SÉRGIO CÔRTES, Sadala e Cavendish (da esquerda para a direita)

18. CABRAL E NUZMAN na reunião com o comitê da candidatura dos Jogos Olímpicos do Rio

AGRADECIMENTOS

Antero Greco, Benice Tyschler, Bruno Lousada, Clarissa Thomé, Felipe Mendes, Gustavo Alves, Jamil Chade, João Carlos Alves dos Santos, Jorge Bastos Moreno (in memoriam), José Castello, Leonardo Maia, Luiz Ernesto Magalhães, Manoel Espezim, Marcio Dolzan, Mario Andrada, Michel Castellar, Mônica Ciarelli, Octavio Guedes, Regina Martelli, Ricardo Linck, Roberta Pennafort, Rodolfo Abreu, Rodrigo Paiva, Ronald Lincoln, Sérgio Du Bocage, Tiago Rogero e Wilton Júnior.

Bruno Thys e Luiz André Alzer, pela paciência e zelo nos ajustes do texto.

Chico Otavio, Daniel Biasetto, Lucio de Castro, Leslie Leitão, Chico Alves, Luciana Nunes Leal, Wilson Tosta e Italo Nogueira – jornalistas, autores de ótimas reportagens que ajudaram muito na pesquisa.

Todos da Era Cabral que aceitaram dar o relato sobre o evento de 14 de setembro de 2009 em Paris.

BIBLIOGRAFIA

BRAGA, Cláudio da Costa. *O último baile do império.* Rio de Janeiro: Editora do Autor, 2013.

BUENO, Eduardo. *Brasil: uma história.* São Paulo: Ática, 2003.

BUENO, Julio; & FARID, Jacqueline. *Rio em transe – No núcleo da crise.* Rio de Janeiro: Casa do Escritor, 2017.

CARVALHO, José Murilo de. *Os bestializados.* São Paulo: Cia das Letras, 1987.

MARTINS, Wilson. *História da inteligência brasileira, Volume IV.* São Paulo: T. A. Queiroz Editor, 1996.

MAZERY, Christiane. *Sylvia Amélia un certain regard.* Paris: Editora Gallimard, 2016.

SILVA, Hélio. *1889: A república não esperou o amanhecer.* Porto Alegre: L&PM Editores, 2005.

Jornais, revistas e sites consultados

Agência Estado, Caras, Carta Capital, O Dia, Época, O Estado de S. Paulo, Extra, Folha de S. Paulo, G1, O Globo, IG, IstoÉ, JB Online, Piauí, R7, Terra, Uol, Veja e sites do Comitê Olímpico Brasileiro, Comitê Olímpico Internacional, Governo do Estado do Rio de Janeiro e Prefeitura do Rio de Janeiro.

www.maquinadelivros.com.br
 @maquinadelivros
 @editoramaquinadelivros

Este livro utilizou a fonte Geórgia e foi impresso pela gráfica Rotaplan, usando cartão Supremo 250g para a capa e Pólen Soft 80g para o miolo. Ficou pronto em junho de 2018, quando Sérgio Cabral somava 100 anos e oito meses de condenação pela Justiça Federal, em cinco processos: quatro em primeira instância e um em segunda.